We Are Enough

CONTENTS

VOL.14 MUSEUM

그림책 NOW

Magical World of
Contemporary Picture Book
Illustrations

세계의 일러스트레이션을 만나다

2019. 4. 12(금) – 7. 7(일)
갤러리아포레
더 서울라이티움 5관

전시문의 02-736-1249

Marcos Guardiola 〈15 Occasions for Desire on the Street〉
Green Island Award Nami Concours 2019

주최 세계책나라축제위원회 주관 남이섬교육문화그룹 협력 후원 BIBIANA 나미나라공화국 남이섬

Museum

EDITOR'S LETTER

부모님은 성실하고 착실하게 사는 무난한 삶이 최선이라고 여겼다. 여가를 즐길 만큼 마음의 여유도 없었기에 우리 가족의 일상에서 전시를 보러 가는 일은 당연히 없었다. 그랬던 내가 미술을 하고 싶다고 눈물을 뚝뚝 흘리며 말할 때 부모님은 말씀하셨다. "우리 집안에 예체능이라니 말도 안 된다. 왜 이렇게 별나게 구냐." 그 닭똥 같은 눈물은 내 인생에 가장 잘한 일이었고 나중에서야 부모님도 우리 가족의 가장 드라마틱한 순간으로 꼽는다. 내가 결국 디자인을 전공하게 되었으니 말이다. 입시 미술에서 나는 그림 그리는 법을 외웠다. 그래야 대학에 합격할 수 있었다. 합격을 위해 그림을 그리던 따분한 시간 속에서 미술학원 선생님이 보여준 화집은 내 마음을 사로잡았다. 모네, 고흐의 작품이었는데 그동안 책에서 봐왔던 것과는 달랐다. 흔하게도 들은 이름과 그림이었는데, 심장이 일렁이고 눈물이 날 것같이 벅찼다. 내 닭똥 같은 눈물은 결국 입시가 아니라 이들을 제대로 만나기 위해서였을까.

그래 조급할 필요 하나도 없다. 작품을 제대로 감상한다는 건 어른인 우리도 쉽지가 않다. 요즘은 전시장을 찾는 게 예전처럼 어렵게 느껴지지 않는다. 예술과 친숙해 지기 위해 천천히 시간을 두자. 쇼핑하듯이 가벼운 마음으로 찾은 전시장에서 뒤늦게 예술에 눈을 뜨게 될지도 모를 일이다. 75세에 그림을 시작한 모지스 할머니처럼 말이다.

"좋아하는 일을 천천히 하세요. 삶이 재촉하더라도 서두르지 마세요"

편집장 김이경

MY MUSEUM

오늘 마루는 엄마랑 미술관에 가요.
미술관에는 그림보다 더 재밌는 게 많아요.
예술은 언제나 우리 주변에 있어요.
우리는 그걸 찾기만 하면 돼요!
최고의 예술은 우리 스스로 만드는 거예요.

– 조안 리우, 《나의 미술관》

에디터 김현지 자료 협조 단추

뮤지엄에 가기 전 알아두면 좋을 단어들

박물관

사람이 이뤄놓은 문화 분야인 예술, 건축, 역사, 산업, 과학 등에서 연구, 발굴할 가치가 있다고 판단되는 학술자료를 소장하고 보존, 연구하는 곳이다. 전시를 통해 교육의 기회를 제공하고 사회 발전에 기여한다.

미술관

미술이라는 한 분야에 관심과 노력을 기울이며, 일반 사람들과 소통하여 예술 작품을 감상할 기회를 준다. 체제나 구성이 박물관보다는 더 전문적이며, 자체적으로 일정량의 소장품과 전시 공간 등의 시스템을 갖추고 있어야 한다.

도록

전시된 내용을 그림이나 사진으로 엮은 목록이다. 전시를 담은 그릇으로 전시 의도와 주제 등을 일목요연하게 정리하고, 전시 장면과 평론, 작가 노트, 예술적 가치관 등을 설명한다. 전시가 끝나도 도록은 남아 언제든 전시에서 느낀 분위기와 감정을 되살릴 수 있다.

오디오 가이드

오디오 장치를 통해 박물관이나 미술관의 주요 작품에 대한 전문가 해설을 제공한다. 영상이나 글, 이미지를 통해 좀더 섬세한 정보를 확인할 수 있다. 오디오 가이드에서 제공하는 테마별 투어를 따라 작품을 관람해도 되고, 관심 있는 작품 앞에서 자유로이 자료를 찾아 들어도 된다.

큐레이터

'관리하다'는 뜻의 라틴어 'cura'에서 유래한 단어로, 예술 자료를 최종적으로 책임지는 사람을 의미한다. 자료 수집과 조사를 하고 전시회의 테마와 방향 등을 기획하며 작가 섭외, 전시 홍보를 한다. 작품 보존과 보호 등 총체적인 전시회의 흐름을 담당한다.

도슨트

'가르치다'는 뜻의 라틴어 'docere'에서 유래했다. 전시회를 설명하고 안내하는 사람으로 문화 예술에 관한 애정과 전문 지식을 겸비하고 있다. 방문객들의 전시 및 작가에 대한 이해를 돕기 위해 전시 작가의 장르에 따른 특성, 미술사에 미치는 영향, 주요 작품에 대한 연구를 한다.

우리 가족은 뮤지엄이 처음인데요

아이들과 함께 미술관에 간다면 훌륭한 가이드인 아이들을 활용해보자. 어른은 생각지도 못한 창의적이고 진정성 있는 의견에, 그 생각을 이어갈 질문만 던져주면 된다. 관찰하고 질문하고 상상하여 자기만의 흥미로운 이야기를 만들어내는 것. 이것이 뮤지엄이 아이들에게 제공하는 최선의 선물이다.

작품 감상을 도와줄 질문들

1 작가는 무엇을 표현한 걸까?

작가들은 자연, 사물, 인물 등 사실 그대로의 일상을 표현하기도 하지만, 기쁨, 슬픔, 사랑, 속상함 같은 개인적인 감정이나 사회에 대한 견해를 자신만의 경험에 비추어 표현하기도 한다.

2 '나라면' 어떻게 했을까?

"만약에 네가 저기 있었다면, 어떤 표정을 지었을까?"처럼 아이들이 호기심 느낄 만한 질문을 한다. 얼마 후 아이들은 다른 작품을 보고 "나라면 오른손으로 사과를 들었을 거야."라는 의견을 스스로 쏟아내기 시작한다.

3 작가는 어떤 방법을 썼을까?

작가들은 자신만의 차별화된 기법을 가지고 있다. 주제를 표현하기 위한 작가만의 표현 기법이 무엇인지 찾아본다. 어떻게 공간을 구성했을까? 색채가 주는 느낌이나 명암은 어떤가? 붓 자국은 거친 편인가? 형태는 선명한가?

4 마음을 끄는 작품 하나를 고른다

미술에 영 관심이 없다면 마음을 끄는 작품 하나만 보고 와도 충분하다. 하나 골랐다면, 그 작품이 왜 끌리는지 이유를 생각해보자. 매력, 혼란스러움, 불편함, 무엇이든 괜찮다. 평소에 느껴보지 않은 감정을 만났을 때 재미있는 일들이 일어난다.

5 이야기를 만들어본다

관찰과 질문을 통해 작품과 친근해졌다면 이제 작품과 관련된 이야기를 상상해보자. 인물화라면 인물의 표정을 살피고, 왜 그런 옷을 입었는지 추측하고, 앞으로 있을 일도 예측해본다. 자기만의 흥미진진한 이야기가 만들어진다.

A LAZY AFTER-NOON IN THE BUSY CITY

Photography JI YEO

가족을 소개해주세요.

사진작가 여지라고 해요. 올해 2월에 돌이 지난 자이언트 베이비 윌리엄과 1월에 세 살이 된 의젓한 잭을 키우며 뉴욕에서 살고 있어요. 동갑내기 남편 알렉스는 여기서 처음 만났지만 뉴질랜드 출신인 이방인이에요. 저처럼 자신의 꿈을 위해 미국으로 유학 왔다가 쭉 눌러앉았어요. 알렉스는 IT 지적 자산에 관련된 케이스를 맡는 변호사예요. 예술과는 거리가 먼 직업이죠.

뉴욕이라니, 사진작가와 딱 어울리는 도시예요. 어쩌다 그곳에 가게 됐나요?

한국의 많은 십대들과 마찬가지로 저도 옛날에는 좋은 대학에 들어가야 한다는 압박감 말고는 별다른 꿈이 없었어요. 유일하게 좋아하던 게 그림을 그리고 무언가를 손으로 만드는 것이었기 때문에 미대에 갔죠. 그런데 막상 들어가고 나서 보니 진짜 내 꿈은 무엇인지에 대해 생각하게 되더라고요. 그러다 우연히 사진에 푹 빠졌고, 2학년이 될 무렵에 휴학을 하고 무작정 뉴욕으로 왔어요.

뉴욕은 네 가족이 살기에 괜찮은 곳인가요?

사실 여기는 가족이 살기에 좋은 환경은 아니에요. 많은 이들이 아이가 생기면 뉴욕시를 떠나요. 땅값이 비싸서 좁은 곳에 살아야 하고, 인건비가 비싸 유치원을 보내려면 일 년에 2,000만 원가량이 들어요. 인구 밀도도, 교통 체증도 서울보다 더 높을지도 모르겠어요. 이렇게 단점이 많은데도 이곳을 떠나지 못하는 이유는 아마 뉴욕이 주는 문화적 풍요로움을 포기할 수 없기 때문일 거예요. 뉴욕의 문화와 속도에 한번 적응하면 조금이라도 느리거나 단일화된 곳에서는 견딜 수 없게 되는 병이 생기는 것 같아요. 마치 중독된 것처럼요(웃음).

《보그》, 《마리끌레르》, 《LA타임스》 등 유수의 매거진에 사진작가로 참여하신 걸로 알아요. 주로 어떤 사진을 찍나요?

패션 사진도 찍지만 개인적인 의사를 표현하는 예술 사진을 주로 작업해요. 대부분 여성의 삶과 관련된 사회 비판적인 사진을 찍어왔는데, 고맙게도 다양한 매체에서 제 프로젝트에 관심을 갖고 소개해줬어요.

그런 사진을 찍는 특별한 이유가 있을 것 같아요.

아주 어릴 때부터 남성에게 받는 시선이 불편했어요. 그땐 어려서 불쾌한 감정만 느꼈을 뿐 이유를 몰랐는데, 지금 와서 생각해보면 그 눈빛들은 꽤나 성적인 것들이었어요. 사회에 깊게 뿌리박힌 여성의 상품화가 남성들에게 마치 여성을 그들 마음대로 대할 수 있는 권한을 부여하고 있다고 생각해요. 그래서 '예쁜 여성' 혹은 '예쁘지 않은 여성'으로서가 아닌, 한 사람으로서 그들의 목소리를 들려주는 작업을 하고 있어요. 동시에 여성을 바라보는 편견과 시각을 보여주기 위해 몸을 소재로 한 사진을 많이 찍었죠.

타지에서 멋지게 꿈을 펼치고 있네요. 지금의 자리에 있기까지 어려움은 없었나요?

만 스무 살에 아는 이 한 명 없이 뉴욕에서 첫 독립을 했어요. 매일 장 보는 것부터 시작해서 모든 걸 철저히 스스로 책임져야 했기 때문에 낯선 땅에서는 사소한 실수도, 사고도 용납되지 않았죠. 많이 고생했고 외로웠지만 그러면서 또 강해졌어요. 예전에는 제가 사랑하는 사람들을 통해서만 행복을 느꼈다면 이곳에 살면서 혼자서도 행복해지는 법을 배웠어요.

아이가 생기면서 작가 생활에 변화가 있었을 것 같아요.

아이가 없을 때는 어떤 나라든 제한 없이 전시를 준비하고, 열고, 오프닝에도 당연히 참석했어요. 관계자들을 직접 만나고 잡지나 브랜드 화보와 광고 촬영 출장도 자주 다녔는데, 아이가 태어나고 나서는 그런 여행이 많이 제한적이에요. 요즘은 대부분 뉴욕에서만 작업하고 해외 출장은 1년에 한두 번 정도만 다니고 있어요.

워킹맘으로 가장 힘든 점과 좋은 점을 한 가지씩만 꼽는다면요?

힘든 점을 한 가지만 말하기는 어려울 것 같은데요(웃음). 꼭 하나를 꼽자면 '죄책감'이겠네요. 일이 많아서, 혹은 긴 출장으로 아이들과 시간을 보내지 못하면 저의 부재 때문에 혹시

나 아이들 정서에 문제가 생기지 않을까 하는 걱정에 마음이 무거워요. 그렇다고 일을 줄이고 아이들과 있는 시간을 늘리면 커리어가 뒤처지고 있는 것 같아 불안하죠. 많은 엄마들이 그렇듯 잡을 수 없는 두 마리 토끼를 모두 잡기 위해 늘 발버둥치고 있는 것 같아요. 좋은 점은 상상조차 할 수 없던 사랑을 받는 것과 제 안에 존재하는지도 몰랐던 거대한 사랑을 주고 있다는 것. 또 그게 매일 일어나는 일이라는 거예요. 말로 표현하기 힘든 벅참이에요.

가족에게 받는 위로가 얼마나 큰지 조금은 짐작이 가요.

사실 10년을 넘게 혼자 살다가 남편을 만나서 아이 둘이 있는 가정을 꾸렸다는 게 아직도 신기해요. 가끔 이렇게 행복해도 되나 싶을 정도로 가족이 주는 위로가 커요. 가족이 생긴 이후에는 아무리 힘들어도 예전처럼 흔들리지 않아요.

두 아들은 어떤 아이들인가요?

둘은 놀랄 만큼 외모도 성격도 너무 달라요. 첫째 잭은 눈이 깊고, 신중하고, 사려 깊어요. 떼를 쓰며 울다가도 왜 안 되는지 이유를 설명하면 금방 수긍하고 받아들여요. 반면 윌리엄은 막무가내에 저돌적이고 원하는 건 꼭 쟁취해요. 밥도 엄청나게 먹죠. 윌리엄이 조금만 더 크면 잭을 많이 울릴 것 같은 슬픈 예감이 들어요.

보통 시간이 나면 가족과 무엇을 하고 지내나요?

평일에 아이들이 많이 돌아다녀서 주말에 시간이 나면 못다 한 집안일을 같이 해요. 날씨가 좋은 날이면 저랑 알렉스는 선베드나 야외 소파로 가죠. 그리고 블러디 메리 한잔하면서 아이들이 물놀이 하는 걸 관찰해요(웃음). 저녁은 대부분 밖에서 먹고요.

아이들의 예술적 감각을 키워주기 위해 노력하는 편인가요?

특별히 노력하는 건 없어요. 단지 창의력과 독립성을 키워주려고 해요. 예를 들면, 새로운 장난감을 사 왔을 때 어떻게 사용하는지 설명해주기보다 아이들이 스스로 알아내도록 지켜보고, 도움이 필요하면 옆에서 어시스트 해주는 거죠.

아티스트의 아티스트! 영감을 주는 예술가가 궁금해요.

늘 바뀌긴 하는데 최근에는 미니멀리스트 여성 작가인 앤 트루잇Anne Truitt과 로버트 라이먼Robert Ryman이라는 화가에 푹 빠져 있어요. 한국 작가 중에는 최고은 작가를 좋아하고요. 그리고 최근 몇 년 전부터 예술가보다는 건축가와 가구 디자이너에게 영감을 많이 받기 시작했는데, 우발드 클루그Ubald Klug라는 디자이너를 정말 좋아해요. 언젠가는 그가 디자인한 소파를 집에 놓을 수 있을까요(웃음)?

앞으로 그곳에서 또 무엇을 이루고 싶은가요?

작가로서 꾸준히 작업하고 살아남는 것도 꿈이지만, 요즘은 어린 작가들과 다양한 분야의 아티스트를 발굴해서 독창적이고 신선한 비주얼 스토리를 만들어내는 포토 에디터로서의 활동에도 집중하고 싶어요.

RECOMMENDED PLACE IN NEW YORK

그레이스 팜Grace Farms

"뉴욕에서 한 시간 떨어진 곳에 위치한 그레이스 팜은 퓰리처상을 받은 일본 건축사무소에서 지은 건축물, 아름다운 자연, 신선하고 맛있는 음식을 모두 누릴 수 있는 곳이에요. 토요일에는 어린이 프로그램이 있어 어른 아이 할 것 없이 모두 즐겁게 놀다 가죠."

365 Lukes Wood Road, New Canaan, CT 06840
gracefarms.org

디아 비컨Dia:Beacon

"맨해튼에서 한 시간 기차를 타고 가면 있는 이곳에는 제가 좋아하는 1960년대 이후의 현대 작가들의 작품이 모여 있어요. 이곳의 작품들은 과자 상자를 만드는 공장을 개조한 건축물과 철저한 계산으로 배치되어 있는데, 그 조합을 느끼고 즐기는 게 진짜 관람 포인트예요. 형광등 하나, 쓰레기통 하나 그냥 놓인 게 없어요."

3 Beekman Street, Beacon, New York 12508
diaart.org

맥 바넷 그림책 작가

LIKE GOING THROUGH A TUNNEL

모르는 길과 마주하는 용기

나의 세계가 불확실한 만큼, 아이의 세계도 불안하다. 익숙했던 길이었는데 낯선 장소에 다다르고, 누구를 만나느냐에 따라 어둠 속을 거닐어야 할 수도 있다. 그림책 《동그라미》의 글 작가 맥 바넷은 친숙한 길 너머 미지의 세계로 우리를 이끈다. 모호함과 불안, 막막함과 두려움이라는 터널을 지나면 그 행로의 끝엔 다른 내가 있다.

에디터 김현지 **포토그래퍼** 윤동길 **취재 협조** 시공주니어

질문이 쏟아지는 책

누구보다 글의 힘을 믿는 사람이 작가라고 생각했다. 그러나 그림책에서는 글로서 모든 것을 풀지 않아야 좋은 책이 된다. 글 작가 맥 바넷은 자신의 도구가 가진 결함과 불완전함을 누구보다 잘 아는 사람이다. 글 안에 기어코 자리를 남기고, 그 틈을 일러스트레이터가 채우게 한다. 그것이 이 세계에서 자신이 할 수 있는 최선임을 인정하고 실행한다.

내가 맥 바넷 작가를 신뢰하게 된 건《샘과 데이브가 땅을 팠어요》를 통해서였다. 샘과 데이브는 '어마어마하게 멋진' 것을 찾기 위해 집을 나선다. 보이지 않는 실체를 향해 여러 시도를 해보다가 딱 한 삽만 더 파면 다이아몬드가 있는 그 지점에서 방향을 돌린다. 애가 타면서도 혹시 무슨 일이 일어날까 봐 눈을 떼지 못하고 있었는데, 생각지도 못한 장면이 이어졌다. 까무룩 잠이 들어, 어둠 속을 통과한 아이들이 "정말 어마어마하게 멋졌어."라고 말하며 각자의 집으로 돌아가는 게 아닌가.

긴장하느라 꽉 다물었던 입에 힘이 풀리고 순간 눈이 갈 길을 잃었다. 이어서 혼란스러운 마음이 날 선 질문을 던지기 시작했다.

'과연 나는 아이가 내 눈앞에서 다이아몬드를 피해만 간다면 말없이 지켜봐줄 수 있을까?, 아이는 스스로 많은 수고와 역경을 통하고도 원하는 결과를 못 만났을 때, "정말 어마어마하게 멋졌어."라고 말할 줄 아는 어린이로 자랄 수 있을까?, 그렇다면 '어마어마하게 멋진 것'의 기준은 누가 정하는 걸까?'

속수무책으로 쩔쩔매다 마지막 장면을 보기 위해 책으로 돌아왔다. 두 아이가 초콜릿 우유와 과자를 먹으러 집으로 가는데, 어딘가 개운하지가 않다. 서둘러 앞으로 돌아가 책을 살피고 또 한 번 뒷골이 서늘해졌다. 두 아이가 돌아온 곳은 처음 떠났던 장소와 미묘하게 다른 장소였던 것이다.

작가는 이렇게 말하는 듯했다. '다이아몬드를 찾는 길처럼 인생은 그렇게 한 치 앞도 보이지 않는, 미지의 길이야. 그래서 우리는 다이아몬드를 못 찾을 수도 있지. 그래도 별일 없어. 하지만 너의 마음은 이전과 같은 마음일까?'

불안을 버텨내는 용기

맥 바넷은 또다시 '불완전함', '알지 못하는 세계'에 대해 말하는 책을 펴냈다. 도형 시리즈의 마지막으로 세모, 네모에 이어 동그라미가 주인공이다. 드디어 세 모형이 한자리에 모여 노는 이야기를 맥 바넷은 이렇게 소개했다. "정말 다른 성격의 세 캐릭터가 어떻게 잘 지내고 어떻게 어울리지 못하는지를 보여주는 책이에요."

그가 쓴 모든 책에는 선명한 공통점이 있다. 주인공들은 우연히, 예상하지 못한, 다른 상황을 몸으로 감촉하는데 그 일은 '관계'라는 울타리 안에서 벌어진다. 안온한 세계가 깨지면서 불안과 두려움을 만나고, 미지의 세상을 향해 함께 나아간다는 서사.

맥 바넷은 책을 다 읽고 우리가 '편하지 않았으면 좋겠다'고 했다. 정말 그랬다. 마지막에 그가 던진 질문에 답하려면 잠자고 있던 사유가 깨어나 모든 촉수를 세워야 했다. 아이의 말과 내가 던진 질문이 꼬리에 꼬리를 물어 생각의 경계를 허무는 일은 정말 편하지 않았다. 쉽게 넘어가지지 않는 감정 앞에서 생각을 곱씹어야 했다.

맥 바넷은 이러한 불편함의 굴곡을 마주하게 하는 작가다. 그의 책을 통해 우리가 얻는 것은 불완전함을 솎아내는 일이 아니라 불안을 견뎌낼 수 있는 무용한 용기가 아닐까.

한국에 오신 걸 환영해요. 드디어 세모, 네모에 이어 동그라미 책이 나왔네요.

안녕하세요. 동그라미 책 출판을 기념하여 한국을 방문하게 되어 정말 반가워요. 시공주니어가 마련한 어린이 강연, 그림책 토크를 통해 여러 독자를 가까이에서 만나볼 수 있어서 영광스럽고 기대돼요.

전 세계 여러 언어로 번역된 책들을 만나보셨을 텐데요. 한국판을 실제로 보니 어떤가요?

사실 대부분의 작가와 일러스트레이터들이 마찬가지 의견일 텐데요. 자신의 작품이 번역된 여러 나라의 버전 중에서 가장 좋은 책을 물어보면 언제나 한국판을 꼽아요. 그 이유는 크게 두 가지가 있어요. 먼저 제작 과정이 무척 놀라워요. 시공주니어 편집자들은 물리적인 책에 대한 존경을 바탕으로, 종이의 질, 바인딩 작업 등 책의 시작부터 끝까지 아주 많은 노력을 쏟았어요. 또 하나는 한글이라는 글자가 정말 아름다워요. 제가 한글을 읽을 수는 없지만 한글로 번역된 책을 보면 좋아하지 않을 수 없어요. 그런데 오늘 한국어로 할 줄 아는 말이 생겼어요. 편집자한테 방금 배웠거든요. '안녕하세요.' '세모.' '네모.' '동그라미(웃음).'

정말 잘하시네요(웃음). 존 클라센의 그림을 보고 《세모》, 《네모》, 《동그라미》에 관한 영감이 떠올랐다고 들었어요.

맞아요. 다만 존은 이 드로잉을 비디오 게임을 위해 그렸죠. 당시 존의 드로잉 속 세모, 네모, 동그라미는 각각 거대한 문명을 상징하는 것으로 기획되어 있었어요. 이를 보고 존과 저는 많은 이야기를 나누게 되었어요. 존은 아시다시피 아주 미니멀리즘적인 감성을 가졌어요. 사실 그는 사람의 형상보다는 사람이 아닌 것을 간략하게 그리는 걸 선호해요. 사람의 캐릭터를 형성하고 결정하는 과정은 어렵죠. 단순한 형상을 넘어, 사회적인 요소에 영향을 받기 때문이에요. 그 외에도 생각하고 고려해야 할 것이 많기도 하고요. 우리는 이 사회를 떠올리며 '세모', '네모', '동그라미'라는 세 개의 개체로서 그들의 본질을 찾기 시작했어요. 이야기를 만들기 전에 각 도형의 성격, 습관, 특징에 대해 수개월 동안 얘기했어요. 존의 경우 일러스트를 제작하는 과정에서 인간이나 동물의 형태를 최대한 단순화해서 가장 근본적인, 형상 즉 모양만 남겨요. 그 모양 안에 눈도 남겨두는데, 그는 눈을 통해서 감정을 전달하는 데 능숙한 작가예요. 많은 색을 쓰지도 않죠. 흑백의 색감, 단순한 형태, 커다란 눈으로 세 캐릭터가 탄생했어요.

예리한 감각이 필요했을 거 같아요. 세 도형의 캐릭터를 만드는 과정에서 시행착오가 있었나요?

캐릭터는 모든 이야기에서 가장 중심이에요. 사실 작업 초기부터 무척 흥미로운 일이 있었어요. 존이 도형의 눈을 그릴 때였어요. 어려움 없이 동그라미와 네모의 정중앙에 커다란 눈을 그려 넣었죠. 이제 세모의 눈을 그려야 하는데, 세모 몸의 중앙에는 저 둘과 똑같은 크기의 눈을 그릴 수가 없더라고요.

고민하다가 눈을 다른 둘보다 조금 아래에 그리기로 했어요. 신기하게도 눈을 좀더 아래로 그리는 순간 세모는 항상 염탐하고 탐험하고 여기저기 가보고 싶어 하는 캐릭터를 얻은 거예요. 이제 세모는 문제를 일으키는 트러블메이커가 된 거죠. 다리를 그릴 때도 마찬가지였어요. 세모와 네모는 밑이 평편하게 생겨서 두 개의 다리를 가질 수 있었죠. 하지만 동그라미는 아래가 커브를 이루고 있어서 똑같이 그리기 힘들었어요. 이때 존이 정말 큰 스트레스를 받았어요. 결국 우리는 동그라미의 다리를 없애기로 했어요. 둥둥 떠다니는 캐릭터로 만들었죠. 그러다 보니 새로운 성격이 더해졌어요. 신비로움, 세모와 네모가 가질 수 없는 긍정적인 태도, 잘 흘러가는 성질이요. 세모와 네모가 우러러보고 좋아할 수밖에 없는 성격이 완성되었죠.

재미있네요. 네모의 성격도 들려주세요.

네모는 보시다시피 좀 고리타분하고 지루해요. 실제로 지루한 사람을 가리키는 영어 표현에 이런 말이 있어요. “너는 참 네모 같구나.” 하지만 지루하고 같은 것을 반복하는 네모니까 그의 깊숙한 내면에는 다른 것을 시도하고 싶은 열정, 뜨거운 마음이 다른 두 모형보다도 더 강하게 담겨 있을지도 몰라요. 이런 식으로 첫 번째 스토리 라인을 짜기 전에 한 달 동안 캐릭터를 만들었고, 각각의 캐릭터가 어떤 성격을 가질 수 있는지 이야기하면서 점점 발전시켰어요.

이들의 서로 다른 성격을 보면서 나는 어떤 도형에 가깝고, 내 주변인들은 어떤 도형일까를 생각해봤어요. 작가님도 《동그라미》를 쓰면서 떠오르는 사람이 있었나요? 혹시 아내분이 아닐까 추측해봤어요(웃음).

오... 맞아요. 아내 생각을 많이 했어요. 제가 아는 많은 사람 중에 가장 동그라미에 가까운 사람이거든요. 그래서 저는 엄청난 행운아죠(웃음). 다만 저는 한 사람을 정하고 그 사람만을 생각하며 이야기를 쓰지는 않아요. 물론 쓰는 와중에 비슷한 사람이 떠오르기는 하지만 ‘그녀라면 어떻게 할까, 뭘 할까?’를 떠올리기보다 동그라미라는 캐릭터에 집중하려고 했어요.

작가님은 어떤 모양에 가깝나요?

저는 세모하고 가장 비슷해요. 사실 어떤 모양과 가장 가까운지를 말하려면 내가 지금 누구와 있는지가 중요해요. 세모와 가장 닮았긴 하지만 어떤 사람과 같이 있을 때는 저는 네모처럼 행동하기도 하고, 또 다른 사람과 있을 때는 동그라미처럼 행동하거든요.

그렇다면 존 클라센과 있을 때, 서로는 어떤 모양처럼 행동하나요?

존은 네모와 가장 닮았어요(웃음). 우리의 관계에서는 그래요. 이 관계 안에서 저는 세모에 가장 가깝고요. 사실 다른 작업을 할 때도 우리에 관한 이야기를 써야지, 하고 마음먹은 적은 없지만 신기하게도 우리의 관계가 녹아 있더라고요. 《샘과 데이브가 땅을 팠어요》에서는 ‘샘’이 존이고 ‘데이브’가 저예요. 《늑대와 오리와 생쥐》에서는 ‘오리’가 저고 ‘생쥐’가 존이고요. 특히나 생쥐는 함께 작업한 어떤 책보다 존의 성격을 가장 잘 보여줘요. 생쥐의 생김새도 존의 외향과 많이 닮았어요. 심지어 생쥐가 춤추는 모습도 실제 존이 춤추는 모습과 아주 흡사해요(웃음).

두 분은 긴밀하게 협업하는 거로 알아요. 한 인터뷰에서 “그림책을 만드는 데 글 작가의 역할 중 가장 큰 부분은 일러스트레이터에게 스토리텔링을 할 기회를 주는 것이다. 그래서 그림책의 글은 미완성된 채 마무리하는 게 기술이다.”라고 말했어요.

그림책은 글과 그림으로 나뉘어 있지만, 이것은 함께 이야기에 대해 말하고 있죠. 글은 그림이 해주지 못하는 말을 해야 하고, 그림은 글이 할 수 없는 표현을 담당해야 해요. 어떤 책을 보면 크레딧에 ‘작가 맥 바넷, 그림 존 클라센’으로 적는데 사실 저는 그 표현을 좋아하진 않아요. 제가 실제로 하는 건 글, 문자, 단어를 쓰는 거예요. 그게 그림과 합쳐져야 이야기가 되는 거죠. 그림책은 말과 그림, 이 두 개의 교집합 사이에 존재한다고 생각해요. 그래서 아주 흥미진진하죠.

《샘과 데이브가 땅을 팠어요》를 만들 때는, 존 클라센의 그림을 보고 중간에 글을 바꾸기도 했다고 들었어요. 보통의 작업 방식은 아닌 걸로 알아요.

사실 미국 시장에서 그림책을 만들 때, 글 작가와 일러스트레이터는 서로 알지 못하는 게 대부분이에요. 작업하는 동안 한 번도 만나지 않는 경우도 있고요. 저희는 일반적인 룰을 깨뜨린 경우라고 할 수 있어요. 우리는 정말 친하죠. 편집자를 통하지 않고 둘이서 자주 만나고 많은 이야기를 해요. 실제로 프로젝트가 있지 않더라도 거의 매일 연락해요. 아주 일상적인 얘기를 나누죠. 그래서 함께 작업할 때, 서로의 이야기를 좀더 적극적으로 하는 편이고요. 존의 그림을 보고 제가 글을 바꾸기도 하고, 존이 제 글을 보고 그림을 다시 그리기도 하죠. 우리는 언제나 타이트하게 연결되어 있어요. 우리가 만든 책들은 단순한 이야기가 아니라 우리의 관계와 우정이며, 이런 친구 사이를 유지해가는 과정을 닮은 다큐멘터리와도 같아요.

책 속의 캐릭터를 자세히 살펴보고 싶어요. 세모와 네모는 무언가를 두려워하죠. 하지만 동그라미는 용감하고, 친구를 칭찬하고, 놀기 전에 조심해야 할 규칙을 설명하기도 해요. 네모는 동그라미가 완벽하다고 믿죠. 작가님도 같은 생각인가요?
저는 네모가 동그라미를 완벽하다고 생각하는 데 동의하고, 세모가 동그라미를 완벽하다고 생각하는 데 동의해요. 심지어 동그라미가 자신을 완벽하다고 생각하는 것에도 동의하죠. 완벽함이라는 개념이 특히나 《네모》에서 아주 중요하게 다루어지는데요, 사실 철학적인 관점에서 보자면 완벽함이라는 것은 우리가 사는 실제 세계에서는 존재할 수가 없어요. 완벽함은 이 세계를 창조한 신의 아이디어 속에서만 존재하죠. 불완전한 인간 세계에서는 더 이상 완전한 것이 될 수 없거든요.

완벽하다는 것이 두려움이 없다는 의미는 아니잖아요. 동그라미도 두려워하는 게 있지 않을까요?
좋은 의문이에요. 분명히 동그라미도 무서워하는 게 있겠죠. 사실 동그라미 자체가 완벽한 것은 모양 친구들 그룹 안이어서 가능한 거예요. 거기에서 벗어나는 순간 동그라미도 두려워하는 무엇이 있을 거예요. 그리고 세모와 네모에 비해서는 덜 부각되지만 동그라미도 폭포 안의 어둠에 들어가는 것을 조금 주저해요. 세 도형이 각자 자기 안에 두려움을 가지고 있고 서로 다르게 어떻게 반응하고 극복해나가는지 보여주고 있어요.

동그라미의 완벽함도 그들의 '관계' 안에서 돋보이는 것이네요?
맞아요. 이 삼부작을 통해 제가 가장 근본적으로 이야기하고 싶은 게 바로 그거예요. 관계. 사실 세모의 문제도 네모 때문에 생기죠. 세모는 눈 뜨자마자 어떻게 하면 네모를 놀라게 해줄까만 생각했는데 이건 어쩜 사랑 같은 집착하는 마음일 수 있어요. 네모의 문제도 동그라미 때문에 발생해요. 동그라미의 일도 다 같이 함께 놀다가 일어난 사건이고요. 이 모든 일이 사실 나뿐만 아니라 여럿이 있는 관계 안에서 드러나요. 그래서 관계가 이 삼부작 전체를 관통하는 가장 중심이에요. 게다가 삼부작은 동그라미, 세모, 네모 '세 명'의 이야기예요. 둘은 우정이라고 이야기할 수 있지만 셋은 우정 이외의 가장 작은 공동체, 그룹이라고 얘기할 수 있어요. 둘이 얘기할 땐 별일 없다가 그중 한 명이 다른 누군가와 이야기하면 남겨진 한 명은 소외감을 느껴요. 문제가 생기는 거죠. 언제나 이런 식으로 관계 사이에 미묘한 긴장과 균열이 생기기 마련이에요. 세 명, 삼각이 이루는 것은 두 사람이 이루는 관계보다 훨씬 더 복잡하고 미묘해요. 이런 긴장과 갈등 상황들이 삼부작 시리즈 전체를 이끌어가는 가장 큰 원동력이에요.

캐릭터가 세 명인 이유가 있었군요. 각 책은 모두 질문을 던지며 마무리가 되는데요, 어떤 의도인가요?
이 모양 시리즈에는 물음표 마크가 있어 좀더 분명하게 질문으로 마무리되지만, 사실 제 책의 대부분이 의문으로 끝나요.

실제로 물음표는 없지만 알고 보면 그것도 질문이죠. 제가 생각하기에 좋은 이야기란 어떤 답을 알려주는 게 아니라, 좋은 질문을 던지는 거라고 생각해요. 그래서 저는 많은 이야기를 질문으로 마무리를 하고 있어요. 저와 존도 이 책을 만들기 위해 많은 노력을 기울였지만 이 책을 읽는 사람들도 많은 일을 하게 하려고요. 자식과 부모, 학생과 선생님이 같이 책을 읽을 수 있겠죠. 우리는 그들이 함께 책을 읽고 의논을 나누고 질문과 답을 하면서 더 많은 이야기를 할 수 있도록 돕고 싶어요.

다섯 살인 제 딸은 《동그라미》의 마지막 질문에 '리본'이라고 답했어요.

참으로 흥미롭게도 이 질문에 답하는 어른과 아이들의 모습이 참 달라요. 우리가 《동그라미》에서 이야기하고자 하는 것은 알지 못한 것을 직면했을 때에 대한 두려움이에요. 알지 못한 것, 그것은 완벽하게 이해하지 못한 것과 동의어라고 할 수 있어요. 사실 성인은 《동그라미》의 마지막 장면처럼 알지 못한 상태, 이해하지 못하는 상황에 부닥쳤을 때 가장 먼저 하는 행동이 그것을 한쪽으로 치우고 못 본 척하는 거예요. 알지 못한다는 것은 사람을 무척 불편하게 만들어요. 모른다는 게 내가 멍청하다는 건가, 하는 생각을 주기 때문이죠. 그래서 어른 독자들은 주로 이렇게 물어요. "도대체 그 형태는 뭐예요? 정답을 말해줘요." 하지만 아이들은 완전히 달라요. 이미 아이들에게 세상은 알지 못하는 것으로 가득 차 있어요. 모르는 것을 만나면 알고 싶어 하고 더 파보고 싶어 해요. 알지 못하는 것을 마주했을 때도 두려워하지 않고 직면하고 대답할 수 있는 능력이 있어요. 아이들은 '리본, 별, 하트'처럼 다양한 답변을 하죠. 아이가 가진 이런 고유한 특성과 장점을 잘 살려서 이 책을 부모님과 아이들이 꼭 함께 읽기를 추천 드려요. 알지 못하는 것, 이해하지 못하는 것을 잘 보는 아이들의 특성을 부모님들이 직접 경험하고 확인할 수 있었으면 좋겠어요.

《네모》를 함께 읽고는 답을 여러 번 바꿨어요. "네모는 원래 천재일지도 몰라." "어쩌다 보니 천재가 된 걸지도, 아무튼 네모는 천재인 거야." "그런데 천재가 중요해(웃음)?"

(웃음). 그 답이야말로 《네모》 책의 가장 근본적이고 중요한 부분을 그대로 보여준 거예요. 네모는 사실 어떤 것을 잘 만들기는 했지만 문제는 그게 우연히 만들어진 것이라는 거죠. 우리는 이 질문을 현대미술과 예술에도 확장해서 생각해볼 수 있어요. 우리가 어떤 것을 볼 때, 단순히 작가가 잘 만든 것만 보는지, 아니면 작가의 의도까지 생각하고 가치를 부여하는지 말이죠. 네 살, 다섯 살, 여섯 살 아이들이 네모가 진짜 천재인지 아닌지 질문을 하면서 느끼는 것들은 예술을 판단하고 경험하는 데 있어서도 아주 중요한 부분이에요. 창조물과 그것의 의도성, 이 두 가지를 어떻게 생각하느냐에 대한 질문이기도 해요. 사실 예술에 관한 이해라는 것은 성인이 되어서 배양되고 개발되는 게 아니에요. 아이들은 예술의 감수성을 그대로 가지고 있는 경우가 많아요. 오히려 우리처럼 나이가 들고 성인이 되어가면서 아이들이 가지고 있던 예술에 대한 이해도를 점점 잃어가는 것이 아닐까 싶어요.

TED 강연에서 "예술은 진리와 거짓말 사이의 한계 공간"이라고도 했죠.

예술은 현재, 현실이 아니에요. 예술은 어떤 사람이 창조하고 구축함으로써 우리가 현실을 이해하도록 도움이 되는 존재예요. 그렇기 때문에 진실과 거짓은 따로가 아니라 겹치는 것이고요. 창조가 일어나고 경험이 생기는 그 교집합에 예술이 있어요. 좋은 예술에 있어 확실성은 가장 큰 적, 위험한 존재라고 생각해요. 우리가 사는 사회나 우정에서 확실성은 중요한 개념 중 하나지만, 좋은 예술은 어떤 면에서는 조금 덜 확실하고 밸런스에서 벗어나 있기 때문에 "이건 뭘까?" 하고 한 번 더 쳐다볼 수 있도록 만들죠. 어쩌면 뭔가 잘못된 것이 아닐까 느끼도록, 그 가능성을 열어주는 것이라고 생각해요. 불확실성은 종종 불편함으로 이어지긴 하지만 꼭 필요한 부분이에요.

동그라미가 말했어.

“그런데 꼭 지킬 게 있어. 폭포 안에 숨으면 안 돼.”

“응.” 네모가 말했어.

“왜?” 세모가 갸웃거렸어.

“거기는 깜깜하거든.” 동그라미가 말했어.

“응.” 네모가 말했어.

“난 깜깜한 게 하나도 안 무서워!” 세모가 으쓱댔어.

인물들의 의도와 다르게 벌어지는 사건들은 긴장감을 불러일으켜요. 《네모》가 우연히 동그라미를 만들고, 《말말말》은 피터 엄마의 말이 듣는 이의 중심으로 바뀌죠. 《샘과 데이브가 땅을 팠어요》는 어마어마하게 멋진 것을 위해 열심히 땅을 파지만 다이아몬드를 피해 가고요. '예상과 다르게 일어나는 일'에 대한 긍정의 시선이 느껴졌어요.

잘 본 거예요. 전 예상치 못한 결과로 흘러가는 것을 아주 긍정적으로 생각해요. 사실 불확실성, 불예측성, 어지러움, 혼란, 모호성, 이 모든 것에 긍정의 시선을 가지고 있어요. 이야기를 할 때도 여기에 강조점을 두고요. 모호해도 괜찮고, 불확실해도 괜찮고, 예상하지 못해도 괜찮다고요. 앞서 말했다시피 확실성은 좋은 이야기에 가장 큰 적이라고 생각해요. 무엇이든 확실하면 긴장이 없어지죠. 긴장이라는 건 단순히 사건과 등장인물뿐만 아니라 글과 그림 사이에도 정말 중요한 요소이고요.

이런 불확실성이 사실은 아이들의 놀이에서 흔히 볼 수 있어요. 《세모》, 《네모》, 《동그라미》가 주는 메시지는 결코 가볍지 않지만 그들의 놀이 형태는 놀이터에서 자주 볼 수 있는 모습이에요.

맞아요. 아이들이 우리 주변에서 아주 평범하고 흔하게 놀이하고 말하는 방식을 이야기하고 싶었어요. 아이들 그 자체의 이야기를 보여주려 했지, 어른들이 아이들에게 바라는 어떤 모습을 담고 싶지는 않았어요.

놀이터라는 작은 세계에는 세모가 네모의 집으로 가는 길에 만난 것처럼 이름 모를 도형의 아이들도 많고요.

물론이죠. 이름 없는 도형들이야말로 실제 세계에서 더 많이 볼 수 있어요. 사실 소설은 어떤 것을 정확하게 기술하고 정의하긴 힘들어요. 그래서 확실하고 정해져 있는 것만 보여주기보다는 아직은 이름이 없는, 모양이 정해지지 않은 것을 꼭 담아내고 싶었어요. 그래야 진정한 이야기가 된다고 생각했죠. 세모가 네모 집에 갈 때 의도적으로 이름 없는 도형들을 등장시켰고, 네모가 작업하는 깊고 검은 동굴도 그런 역할을 해요. 심지어 《동그라미》는 이야기 내내 알지 못하는 것들로 채워져 있죠. 이것은 아이들의 배움에도 마찬가지예요. 세모, 네모, 동그라미 같은 명칭을 정확하게 배우는 것은 중요하지만 아이들은 이런 질문을 하겠죠? '선생님 그럼 제 손은 무슨 모양이에요?' 이 손은 세모, 네모, 동그라미로는 묘사를 할 수가 없거든요. 이런 의문도 생기겠죠. '네모가 과연 가장 반듯한 도형일까? 내면에는 깊고 뜨거운 열정을 가지고 있지 않을까?' 도형의 외형만 생각해서는 절대 알 수 없는 의문이죠.

글을 쓸 때 유년기를 떠올리는 편인가요?

다른 작가들도 그렇겠지만 좋은 그림책 작가들은 자기 자신의 어린 시절의 기억, 추억과 아주 긴밀하게 연결되어 있어요. 저도 어린 시절의 생생한 기억이 많아요. 그 외에 서점에 가서 아이들과 이야기하고 아이들이 어떤 것을 읽는지 보고, 서로 무슨 말들을 주고받는지 보고 들으며 글을 쓰죠.

어린 시절에는 어떤 아이였어요? 세모처럼 엉뚱한 일로 가족이나 주변을 놀라게 했나요?

사실 지금의 저는 세모와 유사하다고 생각하지만 어린 시절에는 문제를 일으키는 아이가 아니었어요. 오히려 문제를 일으킬까 봐 두려워하고 걱정하는 아이였죠. 특히 학교생활에선 더욱 그랬어요. 그래서 머릿속으로는 미션처럼 '어떻게 하면 문제를 좀 일으켜볼 수 있을까?'라는 생각이 있었죠. 저는 외동아들로, 주로 어머니와 집에서 보내는 시간이 많았어요. 학교도 너무 멀었고요. 그러다 보니 주로 책을 읽었어요. 책 안에서는 누구나 규칙을 깨고 경계를 허무는 일이 빈번하게 일어나요. 흥미를 가지고 안전한 방법으로 경험하고 느낄 수 있어서 책을 좋아했어요. 책 안에서 모험을 떠나거나 사고를 일으키는 것들은 실제로 문제를 만드는 것이 아니어서 부모님은 "책을 잘 읽는구나."라고 칭찬을 해주는 효과도 있었고요(웃음). 어린 시절부터 이야기를 읽는 데 매료되었고, 머릿속에서 이야기를 만드는 것도 좋아했어요.

가장 좋아했던 책이 궁금해요.

어머니는 1950~80년대에 출간된 오래되고 낡은 책들을 주로 사주셨어요. 마거릿 와이즈 브라운, 아놀드 로벨, 제임스 마셜 등의 책을 보고 자랐어요. 특히 아놀드 로벨이 쓴 'Frog and Toad' 시리즈를 아주 좋아했어요. 우정에 관한 이야기인데, 그 안에서 일어나는 복잡다단한 감정을 쭉 따라가면서 많은 재미와 감동을 느꼈어요. 신기하게도 이 책은 존 클라센도 가장 좋아하는 책이었어요. 어릴 때 가장 좋아하던 책이 같아서 첫 만남부터 쉽게 친구가 될 수 있었죠.

그림책 작가가 꿈이었나요?

작가를 꿈꿨지만 어떤 종류의 작가가 되어야겠다고 생각한 적은 없었어요. 주변에 작가가 없었거든요. 아버지는 의사, 어머니는 간호사였어요. 작가에 대해 활발하게 이야기할 수 있는 상황이 아니었어요. 부모님이 이혼하신 후에도 어머니의 남자친구는 경찰관, 소방관이었기 때문에 작가에 관한 꿈을 이해받지 못했어요. 대학 입학 후부터 구체적이고 뚜렷하게 목표에 다가갔어요. 여름 운동 캠프 교사로 일하면서 4~6세의 어린아이들을 만날 수 있었거든요. 특히 마르켈이라는 친구가 기억에 남아요. 그 아이에게 그림책을 읽어주었는데, 그림을 놓치지 않더라고요. 마르켈과 함께 책을 읽으면서 어린이가 얼마나 놀라운 독자인지 깨달을 수 있었어요. 그런 경험과 교감들이 저를 어린이 책 작가로 이끈 셈이죠.

글감의 소재는 그림책의 뼈대라 할 수 있어요. 작가님은 새롭고 놀라운 이벤트에서 글감을 찾기보다 모두가 알고 있는 것에서부터 이야기의 본질을 밝히는 데 능한 것 같아요. 그래서 책의 마지막 장을 덮고 나면 여운이 오래 남아요. 그런 생각들은 어디서 오는지 궁금해요.

그렇게 읽어주어 정말 기뻐요. 제가 생각하는 좋은 책이라는 기준도 그래요. 좋은 벨이 한 번 울리면 아주 긴 여운으로 울리는 것처럼 책을 덮고 나서 우리의 마음속에 인상 깊게 남아 생각을 하게 하는 거죠. 그것이야말로 작가가 해야 하는 일이에요. 작가는 남들보다 더 예민하게 알아챌 수 있는 사람이에요. 우리 주변에서 일어나는 일들, 그냥 지나칠 수 있지만 남들보다 더 잘 알아차리고 다시 가치를 부여하고 평가를 하게 하는 것이 바로 작가의 역할이라고 생각해요. 그래서 늘 주변을 예민하게 살펴보고 있어요. 아이디어 과정에서 재미있어 보이는 글감도 그걸 종이 위에다 옮기는 순간 비극이 발생하지만요(웃음). 머릿속에 있는 아이디어와 종이 위의 글에는 사실 엄청난 간극이 있기 때문에 신의 머릿속에 있는 아이디어와 우리 세상의 완벽함이 다르듯이 고뇌하는 시간이 이어지죠.

불확실성이 어린이들의 특성이라는 데 동의해요. 예술적으로 필요한 감성이라는 것도요. 하지만 한국의 많은 부모에게 아이들의 일상에 펼쳐지는 불확실성을 응원하고 지켜보기란 쉬운 일이 아니에요.

그건 미국도 마찬가지예요. 미국의 부모 역시 아이들의 불확실성을 무척 꺼려해요. 아이들을 위해 부모, 선생님, 작가는 공동의 목표를 가지고 있다고 생각해요. 하지만 각자 역할은 조금 달라요. 예를 들면 어떤 일이든 '고맙습니다, 감사합니다'를 가르치는 건 아주 중요해요. 그건 부모와 선생님이 확실하게 가르쳐야 하는 게 맞아요. 다만 모든 것을 확실하게 가르쳐주는 게 반드시 필요하다고 생각하지 않아요. 그게 작가의 역할이고 이야기가 필요한 이유죠. 아이들은 부모나 선생님에게 어렵지만 중요한 질문을 할 거예요. '인생이 뭐예요? 사랑이 뭐예요? 죽음은 뭔가요? 뭐가 옳은 거예요? 뭐가 틀린 거예요?' 아이들의 이런 질문은 수 세기 동안 많은 작가와 예술가들이 얻어내려는 질문의 답과도 맞닿아 있어요. 그래서 어린이 책이라는 것은 아이들의 공통적인 궁금함을 나름대로 찾아가는 과정이고요. 아이들과 종종 이야기하다 보면 "왜?"를 서로 반복하며 계속 질문하고 나중에는 "나도 왜인지 모르겠다."라고 포기해버리는 순간이 와요. 이처럼 알지 못하는 것에 대하여 이야기를 하고 다가가는 것을 작가들이 도와줄 수 있다고 생각해요.

모호함과 불안을 견디려면 맥 바넷의 그림책을 함께 읽으면 되겠네요(웃음).

(웃음). 네 그러면 좋겠어요. 아이를 안고 책을 읽어주면 부모 역시 자연스럽게 이야기 안으로 들어가요. 그런 순간을 자주 가지면 불안을 버티는 힘이 쌓이지 않을까요?

마지막으로 제가 인터뷰마다 던지는 공통 질문이 있어요. "만약 앞으로 살면서 당신의 곁에 단 세 가지만 두어야 한다면, 무엇을 고르겠어요?"

아, 어려운데요(웃음). 친구, 책, 음악을 고르겠어요. 친구는 제 인생에서 가장 중요해요. 저를 행복하고 자랑스럽게 만드는 게 언제나 친구였거든요. 책은 머릿속을 떠나서 다른 것을 생각해줄 수 있기 때문에 늘 필요하고요. 또 음악이 들리지 않는 집에 들어가면 불편하고 행복하지 않다 느낄 때가 있어요. 제가 음악을 연주하고 만들지는 못하지만 신기하게도 재능이 뛰어난 음악인 친구들이 많아요. 음악은 늘 함께하는 존재예요. 잠깐 세상과 저를 단절시킬 수 있는 순간을 만들어주고요.

맥 바넷을 말하는 책들

샘과 데이브가 땅을 팠어요
글 맥 바넷 | **그림** 존 클라센
| **옮김** 서남희 | 시공주니어

맥 바넷과 존 클라센이 책의 판형을 세로로 정해놓고 아이디어를 모으다가 땅을 파는 샘과 데이브의 이야기를 만들어냈다. 샘과 데이브가 땅을 파기 시작하면서 만나는 상황과 여러 시도를 유쾌하게 보여주며 열린 결말을 맺는다.

늑대와 오리와 생쥐
글 맥 바넷 | **그림** 존 클라센
| **옮김** 홍연미 | 시공주니어

늑대에게 잡아먹힌 생쥐는 이미 늑대의 배 속에서 살고 있는 오리를 만나, 함께 살게 된다. 오리와 생쥐는 불편한 관계지만 위기가 닥치자 기발한 생각과 용기를 모아 늑대를 구한다. 잡아먹은 늑대와 잡아먹힌 생쥐와 오리의 태도가 변하는 과정도 흥미롭다.

세모
글 맥 바넷 | **그림** 존 클라센
| **옮김** 서남희 | 시공주니어

삼각형 모양을 가진 세모가 네모를 찾아가는 이야기. 단순한 아이의 놀이에서 시작된 일을 익살스럽고 재미있게 보여준다.

네모
글 맥 바넷 | **그림** 존 클라센
| **옮김** 서남희 | 시공주니어

매일 같이 돌멩이를 다듬는 네모는 우연한 기회에 동그라미를 만나, 동그라미를 만들게 된다. 심플하고 담백한 글과 그림이지만, 노력과 우연이 가져다 주는 예술의 본질에 대해서 깊이 사유하게 한다.

동그라미
글 맥 바넷 | **그림** 존 클라센
| **옮김** 서남희 | 시공주니어

세모와 네모, 동그라미가 모두 모여 숨바꼭질을 한다. 세 명이라는 관계 속에서 일어나는 갈등을 통해 각자의 성격은 도드러진다. 이들이 보이지 않는 것과 마주하게 되었다면? 마지막 질문에 꼭 아이와 함께 답해보길 바란다.

LIFE IS A MATTER OF BALANCE

이수연 가족

열정적이고 자유분방한 가족일 거라 생각했다. 프랑스인 아빠를 따라 싱가포르에 머무르다 한국을 거쳐 홍콩에 사는 가족의 삶이란. 하지만 그것만으로 이 가족을 설명하기엔 충분하지 않다. 열린 마음을 가지고 경계를 넘나들지만 이들에게는 알맞은 '균형'이 있다. 평균대 위에서 중심을 잡으려면 팔을 벌리고 몸을 흔들어봐야 한다. 굽어보고 비틀어 보며 자리 잡힌 '책임감과 사랑', '부모와 자식', '몸과 마음'의 무게 중심에 관한 이야기를 나눴다.

에디터 김현지 사진 이수연

가족과 사는 곳을 소개해주세요.

줄리안, 이수연, 테오, 주노 그리고 새 식구가 된 지 3개월 정도 된 막내 멜로(유기견), 이렇게 다섯이 홍콩에서 오손도손 살고 있어요.

홍콩에 머문 지는 얼마나 되었어요?

홍콩으로 이사 온 지 1년 하고도 반이 넘었네요. 테오랑 주노는 새로운 학교생활에 잘 적응하며 즐겁게 지내고 있어요. 역시 아이들의 적응력은 어른이 못 따라가죠. 저는 요가 지도자 과정을 막 마치고, 레슨 준비를 하고 있어요. 요가 스튜디오에서 영어로 수업하고 싶은 꿈이 바짝 다가왔어요(웃음). 남편 줄리안은 일하고, 집에 와서는 아이들 숙제 봐주느라 바쁘고요. 아이들이 프랑스 학교에 재학 중이라 아빠가 숙제를 담당하고 있거든요.

인테리어에 관심이 많으신 편 같아요. 공간마다 가구와 소품의 배치, 색과 소재의 질감이 잘 어우러져 눈길이 오래 머물게 되네요.

객지 생활을 하다 보니 자연스럽게 라이프 스타일에 관심이 많아졌어요. 인테리어도 그중에 일부분이고요. 이 나라 저 나라를 이사하며 구입한 가구들은 이제 점점 낡아 얼룩도 생기고 삐걱거리기도 하지만, 그 안에 우리 가족의 이야기가 스며들어 있어 이제는 식구처럼 느껴져요.

곳곳에 조화로운 그림들도 놓여 있어요. 좋아하는 그림을 모으는 편인가요?

그림을 모은다기보다는 좋아하는 그림을 소장하는 편이 맞을 거예요. 소장하고 있는 작품들은 대부분 추상화가 많아요. 예전에는 화려한 색감과 테크닉에 시각적으로 반해서 구입한 적도 있지만 추상적인 작품에 비해 그 여운이 저에게는 오래가지 않는 거 같더라고요.

다이닝 공간에 놓인 그림이 무척 인상적이에요. 어떻게 만나게 된 작품이에요?

제가 첫눈에 반한 작품으로 사라 하비Sarah Harvey의 'swimmer'예요. 싱가포르에 있을 때 줄리안과 갤러리에 자주 갔어요. 하루는 줄리안이 뱅크시Banksy의 멋진 작품을 전시한 갤러리가 있다며 보러 가자고 했어요. 아무 생각 없이 갔다가 'swimmer'를 발견했는데 보자마자 너무 마음에 들어 한 치의 망설임도 없이 작품을 구입했어요. 빛을 잘 표현하는 작가인데, 환상적인 빛의 표현에 마음이 끌려 소장하게 되었어요.

집과 공간에 어울리는 그림을 고르는 기준이 있나요?

저는 강하지만 부드러운 에너지를 느낄 수 있는 작품을 선호해요. 사라 하비의 'swimmer'는 다이닝에 두었는데, 저희 가족이 가장 많은 시간을 보내는 곳이고 애정이 많이 가는 공간이죠. 또 다이닝 테이블 소재가 메탈이라 자칫하면 공간이 차갑고 너무 미니멀하게 보일 수 있는데, 그 공간에 물과 빛을 잘 표현한 사라의 그림이 생명력을 불어넣어 주었다고 생각해요.

가지고 있는 다른 작품들의 이야기도 궁금해요.

주방 옆에 이탈리아 화가 피에로 피치 카넬라Piero Pizzi Cannella의 작품을 걸어두었어요. 보면 볼수록 끌리는 에너지가 있어요. 어쩌면 그 그림에서 연출한 바다에 대한 동경일 수도 있겠네요. 항상 바쁜 도시에서 살다 보니 한적하고 고요한 장소를 향한 갈망이 있나 봐요. 그리고 엄마가 아프리카 여행에서 구입하셔서 결혼 선물로 물려주신 조각품이 있고, 손님방에는 외삼촌이 선물로 주신 산수화도 있어요. 요즘은 설치 미술에도 관심이 생겼어요. 예술을 평면의 고정관념에서 벗어나 입체로 표현하는 다양한 방법들이 흥미로워요.

패션 에디터, 패션 MD, 파자마 브랜드 운영까지 예술과 디자인에 관련된 다양한 일을 해오셨어요. 예술에 대한 호기심을 어떻게 채우나요?

감성 근육을 기르는 데 예술만 한 게 없다고 생각해요. 감성 근육으로 삶이 더 특별하게 느껴지는 거 같고요. 예전에는 시각적인 예술 분야에서 호기심을 채웠다면 요즘은 소설이나 시, 음악으로 장르의 폭을 넓혀가고 있어요. 반 고흐의 "사람을 사랑하는 것보다 더 큰 예술은 없는 것 같다."라는 말에 공감해요. 자신의 삶을 더 사랑하고, 가족과 타인을 이해하는 데 소설과 음악에서 많은 영감을 받고 있어요.

남편이 프랑스인이에요. 프랑스에서는 어릴 적부터 삶 속에서 예술을 익힌다고 하죠.

프랑스 아이들은 우리와 다르게 예술을 자연스럽게 익히는 거 같아요. 학습으로 배우는 게 아니라 거리와 공원 벤치, 전철 안 같은 일상적인 공간에서 그저 공기처럼 느끼죠. 예술이 익숙한 삶의 한 부분으로 자연스럽게 녹아 있어요. '파리

에 가면 예술가가 된다'는 말처럼, 유럽의 아름다운 도시를 여행하다 보면 예술이라는 것은 타고난 성향보다도 환경이 중요하다는 생각이 들어요.

남편이 육아에 적극적인 편 같아요. 함께 장난칠 수 있는 친구 같은 아빠인가요?

남편은 삶의 가치 중에 가족을 가장 중요하게 생각해요. 저는 한국의 교육 방식에 익숙한 사람이라 가끔 아이들을 이해하기 어려운 경우가 있는데, 줄리안은 공감 능력이 아주 뛰어나요. 의견이 맞지 않을 때도 자신의 주장을 내세우지 않고, 아이들의 뜻을 들어주고 반영해요. 친구보다 더 아이들을 이해하고 맞춰주는 거 같아요. 그래서인지 친구보다 아빠랑 함께 하는 시간을 더 좋아하더라고요. 주말에는 즐거운 시간을 보낼 수 있도록 아이들이 좋아하는 카트라이더, 암벽등반, 축구, 볼링, 탁구, 서핑, 세일링, 피크닉, 요리, 스케이트보드 등을 적극적으로 찾고, 함께 경험해요. 주중엔 학교생활에 지쳐 있는 게 가여워서 주말은 최대한 재밌는 시간을 보내려고 노력하죠.

부부 사이도 편안하고 여유로워 보여요. 로맨틱한 분위기도 느껴지고요. 10년이 넘는 시간 동안 이런 관계를 유지하는 비결이 있을까요?

결혼 후에 이 나라 저 나라로 이사 다니면서 둘 다 이방인으로 살다 보니 서로 많이 의지하게 되었어요. 타지에서 살다 보면 언어도 다르고, 고민이 생겨도 쉽게 오픈할 수 있는 관계를 만드는 게 쉽지 않더라고요. 한국에 있는 가족과 친구들이 그리운 날도 많고요. 그럴 때마다 줄리안과 저는 서로에게 의지해요. 데이트하면서 이야기도 많이 하고, 장난도 치고, 영화도 보면서 말이에요. 줄리안에게 가장 고마울 때는 저를 아내로 대하는 게 아니라 '이수연'이라는 한 명의 사람으로 존중한다는 느낌을 받을 때예요.

문화 차이로 인한 오해나 갈등은 없었나요? 육아를 할 때 의견이 많이 부딪치곤 하잖아요.

아이를 키우면서 문화 차이보다는 언어의 차이에서 오는 결핍이 더 컸던 거 같아요. 깊이 있는 대화를 이어가는 게 쉽지 않다는 점이 아쉽죠. 언제나 몇 프로 부족함을 느껴요(웃음).

MAMAN
MAMAN
MAMAN
!
!
!

남편의 일 때문에 여러 나라를 옮겨 다니시는 거죠?

맞아요. 남편의 일에 따라 여러 곳을 옮기며 살고 있어요. 테오가 6개월 때 싱가포르로 이사를 가서 5년 정도 있었고요, 그다음 한국으로 다시 돌아가 4년 정도 살았어요. 지금은 홍콩으로 이사 온 지 1년 반 정도 되었어요. 거의 5년마다 이사를 다니고 있네요. 이제 나이도 들고 아이들도 소년이 되어 가다 보니 한곳에 정착하고 싶다는 생각이 들기 시작해요.

프랑스, 싱가포르, 한국, 홍콩. 나라마다 교육 스타일이나 문화의 차이도 있을 텐데요.

교육의 특징으로 이야기하자면 유럽과 아시아로 나눌 수 있을 거 같아요. 홍콩, 싱가포르, 한국의 아이들은 학원을 다니면서 입시 위주의 공부를 하며 시간을 보낸다면, 유럽 아이들은 운동이나 좋아하는 취미 활동을 하며 시간을 보내요. 프랑스는 가족 중심 문화가 강해요. 가족이 함께 대화하는 시간을 소중히 여기죠. 주말은 꼭 가족과 함께 보내야 하고요. 종교처럼 중요하게 여기더라고요. 여러 문화를 접하고 있지만 아이들은 다행히 큰 어려움 없이 지내고 있어요. 아이들이 어른이 되어 봐야 외국 생활의 장단점을 알 수 있을 거 같아요. 저의 경험으로는 세계는 점점 좁아지고 있고 사람에 대한 애정의 폭은 넓어지고 있네요.

환경이 바뀌어도 이것만은 유지하려 하는 가족의 라이프 스타일이 있을까요?

아무리 바쁘고 여유가 없어도 아침 시간은 꼭 함께 하려고 해요. 야근한 경우에도 지키려고 노력하죠. 아이들이 아침 일곱 시 정도에 학교를 가는데, 매일 아침 일어나 짧은 시간이지만 가족을 위해 음악을 틀고 아침을 준비해요. 매일 하는 일이라 가끔은 음악을 깜빡하기도 하죠. 그럴 땐 둘째 주노가 "엄마 오늘은 음악이 없네요."라고 놀라서 물어요. 그 순간 참 행복한 기분이 들더라고요. 아주 사소하고 평범한 일상에서 가족의 소중함을 주로 느껴요. 가끔은 조그마한 선물이나 메시지로 서프라이즈도 하고요. 그걸 보고 기뻐하는 모습에 제가 더 행복을 느끼죠.

아이들은 예술적 감성을 어떻게 기르나요?

예술을 함께 공유하는 정도예요. 요리, 다도, 음악, 영화 등 저희 부부가 좋아하는 분야들을 도서나 미디어, 직접 경험 등으로 공유하기도 하고, 아이들이 관심을 보이는 분야가 있으면 같이 정보를 수집하기도 해요. 요즘 테오의 관심 분야는 요리라 함께 레스토랑에 가고, 시식 후 음식 평가도 해봐요. 집에 일일 레스토랑을 열어서 메뉴를 만들고 함께 요리도 하며 놀고요. 넷플릭스의 〈셰프의 테이블Chef's table〉을 시청하며 자신이 가장 좋아하는 셰프를 고르는 것도 저희 주말 활동 중 하나예요.

가족의 생활에서 부부가 중요하게 생각하는 기준도 궁금해요.

저희 부부는 균형을 가장 중요하게 여겨요. 육아나 일, 사람과 자연의 관계, 몸과 정신 어느 하나에 불균형이 생기면 스트레스를 받고, 불안이 늘어나요. 그래서 나쁜 것이든 좋은 것이든 아이들이 적절한 균형 감각을 스스로 터득할 수 있게 많은 경험을 제공하려고 노력해요. 가족이 많은 경험을 자연스럽게 체험할 수 있는 방법 중에는 여행이 최고예요. 여행 가서도 현지 사람들이 사는 모습을 보고, 재래시장에 가고, 자전거 여행과 로드 트립 등을 즐겨요. 남편은 여행을 가도 사람들과 금방 친해지는 성격이에요. 재작년 캄보디아로 여행 갔을 때는 현지 가이드 집에서 그 아이들이랑 저녁도 먹고 그들이 어떻게 사는지를 혀와 피부로 느끼면서 자연스럽게 친구가 되었어요. 이제 캄보디아는 그저 멋진 템플이 있는 나라가 아니에요. 언어는 통하지 않아도 함께 아이스크림을 먹으며 깔깔거리고 게임을 하던 친구가 있는 특별한 장소죠.

아이들과의 좋은 관계를 위해 어떤 노력을 하나요?

저는 아이들과 정신적으로는 함께 성장하고 있다고 생각해요. 요가를 하기 전에는 '난 너무 부족한 엄마인가 봐.'라는 생각으로 저 자신을 힘들게 한 적이 있어요. 그래서 아이들과 함께하는 시간을 온전하게 보내지 못하고, 부담스러웠어요. 쉽게 피로함을 느꼈고요. '아이와 부모의 관계에서 중요한 게 무엇일까?'라는 질문을 저 자신한테 계속했어요. 끊임없이 생각하며 떠오른 답은 자식에 대한 의무나 책임감이 사랑보다 우선이 되면 나와 아이들의 관계는 자유로워질 수 없다는 것이었어요. 책임감을 조금씩 내려놓는 연습을 하다 보면 마음이 편안해져요. 저희 아이들이 커서도 이런 큰 중압감에서 벗어나 자유로운 관계를 완성하며, 사랑하며 살았으면 좋겠어요.

나 자신, 엄마, 아내, 요가 선생님. 많은 역할을 하고 있지만 조화로운 모습이에요.

삶에서 중심을 잡는 건 저한테 아주 중요한 일이에요. 엄마로서 아내로서 사회생활을 하면서 정신없이, 의식 없이 살다 보면 정작 저 자신에 대해 생각하는 시간이 부족해져요. 그럼 어느 순간 제 삶에 정체 모를 불만이 생겨나고, 주변 사람들과의 관계도 힘들어져요. 균형을 잘 잡기 위해 혼자 있는 시간을 가치 있게 보내려고 노력해요.

혼자만의 시간은 주로 무엇을 하며 보내나요?

요가를 하고 명상을 해요. 음악을 찾아서 듣고 요리를 하고요. 책을 읽고 글을 쓰기도 하죠. 날씨가 좋을 때는 밖으로 나가서 사색을 하며 산책을 하고, 친구들을 만나요. 요즘은 Singing bowl 연주에 재미를 들였어요.

몸과 마음을 연결하는 수양이라는 점에서 요가는 수연 씨의 가치관과 잘 맞아 보여요.

요가는 제가 혼자 있는 시간을 온전히 느낄 수 있게 해주는 도구예요. 자신에 대해 생각해볼 여유가 없었는데 요가를 하면서 온전히 저한테 집중하는 시간을 갖는 방법을 차츰 터득해나갔어요. 마음에 쉼이 생기기 시작했고 사물을 긍정적으로 보는 시야가 생겼어요. 좋은 에너지는 타인이 나에게 주는 것이 아니라 내 마음에서 시작하는 거라는 알아차림이 생겨나기 시작했죠. 처음으로 맛보는 충만한 기분이었어요. 이런 경험들을 다른 사람들과 공유하고 싶다고 생각했어요. 그래서 요가 지도자 과정이라는 새로운 꿈에 도전하고 있어요.

RECOMMENDED PLACE IN HONG KONG

아트바젤 인 홍콩Art Basel in Hong Kong

스위스 바젤에서 시작한 세계에서 가장 큰 규모의 아트 페어다. 매년 3월 세계 미술계를 주도하는 갤러리, 콜렉터, 미술 애호가들이 모인다. 아시아 지역에서 활동하는 화랑들도 활발하게 참여해 전 세계의 새롭고 다채로운 예술을 감상할 수 있다. 전시 이외에도 토론회, 작가와의 만남 등으로 예술가와 방문객 간의 문화 교류를 할 수 있는 장이다. 다소 정적인 뮤지엄들과 다르게 문화와 예술로 들뜨는 축제 같은 분위기라서 아이들과 자유롭게 대화하면서 예술을 즐길 수 있다.

드래곤 백Dragon's Back

홍콩의 대표적인 하이킹 코스다. 산길 모양이 용의 등과 같아서 드래곤 백으로 불린다. 초보자들도 트레킹 하기 쉬우며 걸으며 틈틈이 바다를 바라볼 수 있어 좋다. 정상에 오르면 탁 트인 멋진 풍경이 매력적인 곳이다.

리펄스 베이 비치Repulse Bay

평일 낮에 커피 한 잔 하며 일광욕을 즐길 수 있는 해변이다. 잔잔하게 파도가 치고 넓은 모래사장이 펼쳐져 있어 아이들이 모래놀이를 하거나 해수욕을 하기에도 좋다.

ARTIST FAMILY!

아티스트의 가족

새롭고 독창적인 것을 탐구하는 일을 하는, 아티스트라 불리는 사람들이 있다. 이들은 평소 가족과 뭘 하며 시간을 보낼까. 그들이 아이를 대하는 교육관에는 어떤 다른 점이 있을까. 아티스트라는 직업적 특수성을 통해 바라보는 가족과 함께하는 일상, 아티스트의 가족을 소개한다.

에디터 남재연 **일러스트레이터** 양예슬

일상의 아름다움을 표현하는 화가

홍지희

소개 부탁드려요.

열 살 아들과 함께 진정한 아름다움, 여성성에 대해 생각하고 일상의 소재들로 그림을 그리는 홍지희입니다.

주로 아크릴 물감이나 콜라주 기법을 사용한 작품이 많은 것 같아요.

아직도 제 작업의 장르를 정해놓지 않고 가능성을 열어둔 여러 방식으로 작업하고 있어요. 포괄적 주제만 정해놓은 후, 다양한 재료를 가지고 틀에 얽매이지 않는 시도를 하고 있죠. 저는 어릴 때부터 규칙이나 틀을 늘 답답해했는데 그 영향인지, 유리를 깨거나 일상의 평범한 오브제를 붙여 평범한 것을 다시 새롭게 보이게 하는 작업에 끌려요. 마음의 벽을 없애고 저에게 긍정적인 영향을 가져다주더라고요. 지금도 제가 끌리는 마음이나 상황에 따라 소재의 물성과 특성을 저만의 방식대로 해석하고 배치하고 섞어서 흐름을 표현하는 작업을 해요. 주로 소외되거나 평범하고 일상적인 소재에서 희망의 메시지를 담을 수 있는 따뜻한 방법에 대해 생각해요. 때론 여전히 그리는 행위 자체를 자유롭게 즐기기도 하고요.

엄마가 화가라는 점은 아이의 미술 교육에 도움이 되나요?

아무래도 또래 아이들보다 그림을 즐길 줄 알아요. 무조건 예쁘게만 그리려고 하지 않고 세상에는 다양한 아름다움이 있다는 것을 알죠. 어릴 때는 아이가 그림 그리는 걸 거부했어요. 이유를 물으니 엄마보다 못 그려서 싫다고 하더라고요. 그래서 '바스키아' 같은 자유로운 스타일의 그림들을 다양하게 보여주었죠. 잘 그리고 못 그리고의 기준은 없다는 걸 이해하고 나니 그때부턴 스스로 그림을 즐기며 오히려 저보다 더 자유분방한 생각으로 창작을 하더라고요.

아이가 일찍부터 예술 분야에 노출되면 어떤 점이 좋을까요?

아이가 다양성에 대해 열린 사고를 갖게 돼요. 남이 정해준 틀, 정답, 기준이 자기 것과는 다를 수 있음을 알게 되는 거죠. 틀린 게 아니라 다르다는 걸 아는 게 매우 중요해요. 그리고 그런 사고를 바탕으로 큰 흐름에 생각 없이 이끌려가기보다는 스스로 주도해가는 힘을 키우게 돼요.

아이와 주로 무얼하며 시간을 보내나요?

평소 뮤지엄이나 갤러리에 가는 것보다는 체험하는 걸 선호해요. 그래서 엄숙하고 딱딱한 곳보다는 자유로운 분위기의 공간을 찾아가는 편이죠. 오감으로 기계를 감성적으로 풀어낸 현대자동차모터스튜디오를 좋아해 시간 있을 때 종종 찾아가요. 최근에는 'Ando'라는 곳에서 아트크래프트 재킷을 만들어봤는데, 정말 행복한 시간이었어요. 아무래도 각자 생활에 바쁘다 보면 함께 보낼 시간이 부족한데 아이랑 같이 무언가를 만들고 공유하는 시간이 참 소중하게 느껴지더라고요. 아이와 함께하는 순간은 '공감의 시간'이에요. 저의 어린 시절을 생각나게 하고, 퍼즐을 맞춰가며 함께 성장하는 내적 작업의 시간이죠.

아티스트 홍지희로서의 감각을 지키기 위해 노력하는 것이 있다면요?

다양한 분야에 대한 호기심과 배움에 대한 겸손한 자세. 의식주에 대한 철학 가지기. 각자의 세계가 확고한 사람들과 나누는 대화. 안 해본 일 해보기. 그것에 대한 두려움 깨기. 이런 생각과 가치관을 일상에서 지켜내려면 끊임없이 노력해야 해요. 결코 쉽지는 않아요.

엄마와 아티스트, 두 역할을 다 해내는 게 힘들지는 않나요?

둘 다 무조건 욕심내고 열심히 하기보다는 조금 힘을 빼고 의식적으로 객관적 거리를 두려 해요. 그러면 아이러니하게도 불안함을 덜고, 큰 그림을 볼 수 있어요. 그림을 그리면서 깨달은 진리예요. 아이를 때로는 조금 심심하게 두는 것, 그리고 내가 무엇인가 하고 있는 것이 방법이에요. 엄마로서 아이의 교육을 너무 심각하게 의식하지 않았으면 해요. 공부는 누구나 싫잖아요. 그냥 노는 것, 아름다운 것, 색이 예쁜 것, 모양이 신기한 것 등 단순하게 접근하고 놀이처럼, 생활처럼 자연스럽게 받아들일 수 있도록 도와주는 게 좋아요. 그러다 가끔씩 아이에게 질문을 던지는 거죠. 스스로 생각하는 힘과 놀고 즐기는 법을 알게 해주는 것이 엄마이면서 때로는 아티스트인 나 자신, 그리고 그런 엄마와 함께 생활하고 자라나는 아이에게 좋다고 생각해요.

한국의 미를 소개하는 보자기 아티스트

양정은

소개 부탁드려요.

좋은 일만 있으라고, '호호당'이라는 브랜드를 운영하고 있는 양정은이라고 합니다. 오랜 친구이자 든든한 남편 김준식, 눈에 넣어도 아프지 않을 네 살짜리 아들 김태리와 함께 살고 있습니다.

호호당은 한국의 미를 바탕으로 하는 브랜드죠.

호호당은 한국의 색이 담긴 생활용품을 디자인하고 소개해요. 결혼과 출산, 백일과 돌, 그리고 명절 등 한국인으로 살아가면서 만나게 되는 좋은 날들을 위한 따뜻한 제품들을 하나씩 만들어가고 있습니다. 특히 보자기를 통해 전통적이지만 세련되고, 평범한 듯하지만 신선한 창작물을 만들어내는 곳으로 많이 알려졌답니다.

아이에게도 예술이 필요하다고 생각하세요?

예술은 다양한 해석의 방법이라고 생각해요. 그건 틀에 박히지 않는다는 걸 뜻하겠지요. 여기 있는 사과를 똑같이 그려라, 하는 것은 어느 정도 연습으로도 가능하다고 생각해요. 하지만 마음을 울리는 사과를 그리는 건 '기술'의 차원을 벗어난 거잖아요. 마음을 움직이는 훌륭한 예술 작품들을 통해 세상의 여러 풍경과 사건들을 자기만의 해석으로 표현하는 사고력을 키우는 것은 아이가 자라는 과정에서 아주 중요하고 꼭 필요한 부분이에요. 그리고 이런 사고를 기르는 것엔 예술의 힘이 많이 작용하고요.

최근에 아이가 좋아한 예술 생활은 무엇이었나요?

아주 최근은 아니지만 아이가 가장 행복해하는 모습을 본 곳은 독일 프랑크푸르트에 위치한 자연사박물관이었어요. 박람회 참가 차 가족과 함께 방문한 도시에서 아이와 반나절 시간을 보내기 위해 찾은 곳이었는데, 아이가 무언가를 느낀 듯 작품들을 뚫어지게 감상하더라고요. 그 모습이 어찌나 귀여우면서도 신기하던지! 앞으로 뮤지엄에 더욱 자주 데리고 다녀야겠다는 생각을 하게 됐어요. 그곳에서 무척 인상 깊은 장면을 많이 봤는데요. 아이들이 마음에 드는 곳 앞에 털썩 앉아 한참을 들여다보기도 하고, 만져보기도 하고, 실제로 올라타 보기도 하며 마치 놀이터처럼 즐기더라고요. 그 아이들에게는 박물관의 교육이 절대 딱딱한 공부가 아니구나 하는 점이 부럽게 느껴졌죠. 앞으로 제 아이와 함께 다닐 많은 뮤지엄이나 갤러리에서도 딱딱한 해설을 하지 않으리라 마음먹었어요. 우선 진심으로 즐거워하며 있는 그대로 받아들이게 하고 싶어요.

아티스트 양정은에게 가족은 어떤 의미인가요?

그 무엇과도 바꿀 수가 없지요. 남편은 저의 가장 좋은 친구입니다. 정말 많은 시간을 같이 보내고 있어요. 일의 영역도 비슷해 하루 중 절반은 파트너로서 함께 일을 하고, 절반은 친구이자 부부로 지내요. 아이가 생긴 이후에는 삶의 우선순위를 정해야 할 때 아이와 함께 시간을 보낼 수 있는 선택을 우선시해요. 남편과 저는 출근이 이른 대신에 퇴근을 다섯 시에 하는데요, 아이를 어린이집에서 데리고 와 셋이 집으로 가서 맛있는 저녁을 만들어 먹어요. 해가 질락 말락 한 창밖 풍경을 보며 셋이 저녁을 먹는 그 시간은 저에게 매일을 살아갈 힘이 되어준답니다. 그리고 그 행복한 마음이 더해져 작품으로도 이어지게 되고요.

끊임없이 새로운 작품을 구상할 수 있는 원동력은 뭘까요?

'나만의 시간'이 꼭 필요합니다. 글을 쓸 일도 많고, 새로운 작업을 구상할 시간도 필요하거든요. 하지만 회사에 출근하면 늘 이런저런 일들에 치여 작품에 관한 생각을 할 시간이 별로 없어요. 퇴근 후에는 가족과, 특히 아이와 시간을 보내고 싶고요. 그래서 아주 일찍 일어납니다. 일찍 일어나 2시간 정도 원고도 쓰고 작업도 하며 하루를 시작해요. 이른 아침의 그 시간은 저를 엄마나 아내가 아닌, 오롯이 아티스트가 될 수 있게 해주죠.

아이들이 예술과 친해질 수 있는 팁이 있다면 말해주세요.
공부 혹은 교육이라는 단어가 아이의 흥미를 빼앗아가지 않았으면 좋겠어요. 세상의 모든 것들을 '공부'로 연관시킬 필요는 없지 않을까요. 예를 들어 미술관을 다녀왔다면, 그 시간을 통해 아이가 얼마큼 새로운 것을 배웠는지, 얼마나 성장했는지 일일이 확인하려고 하지 않는 것이 좋겠지요. 그림을 통해 혹은 더 넓게 '예술'을 통해 아이가 배웠으면 하는 것은 1~2년 안에는 결과로 나타나지 않을 거예요. 어릴 적 마음을 울린 그림 한 장이 먼 훗날 아이의 삶에 어떤 영향을 끼칠지 그 누가 알 수 있겠어요. 그러니 아이도, 그리고 그런 아이를 보는 부모도 여유로운 마음으로 예술을 감상하는 시간을 즐기면 되지 않을까요?

미술관의 편견을 깬 뮤지엄 그라운드의 관장

전용운

소개 부탁드려요.

현재 경기도 용인에 위치한 '뮤지엄 그라운드'의 관장을 맡고 있으며, 아내와 네 살이 된 딸아이, 이렇게 세 식구가 함께 살고 있습니다.

뮤지엄 그라운드는 기존의 미술관보다 문턱을 낮춰 모든 연령대가 편하게 작품을 관람할 수 있는 뮤지엄으로 유명하죠. 이런 콘셉트로 만들게 된 이유가 궁금해요.

스무 살 때부터 20년 동안 미국에서 디자이너로 활동했어요. 그래서 자연스럽게 해외 미술관에 많이 다닐 수 있었죠. 그렇게 다니면서 보니 해외의 많은 미술관은 공간 자체가 시민들에게 열려 있고 다가가기 쉬운 곳으로 자리 잡고 있더라고요. 어린아이부터 나이 드신 분들까지 여러 세대가 편하게 즐기는 곳이었어요. 그런데 우리나라 미술관은 미술에 대한 지식이 없는 사람들이 가기에는 왠지 부담스러운 곳으로 여겨져요. 그런 점들이 매우 안타까웠습니다. 극장에 갈 땐 영화의 역사나 기법에 대한 기본 지식 없이도 편하게 보러 가잖아요. 그래서 그 인식을 깨고 싶었어요. 그렇게 뮤지엄 그라운드를 만들게 되었고, 관람객이 편하게 다가가기 쉬운 전시를 많이 기획하고 제공하자고 늘 생각하고 있어요.

좋은 작품을 알아보고 선택하는 눈은 어떻게 기를 수 있을까요?

저는 일 때문에 지난 5년간 전 세계의 아트페어를 거의 다 가봤다고 해도 무방할 정도입니다. 감각을 지켜내고 좋은 전시를 고르며 기획하려면, 수많은 작품을 감상하고 여러 미술관을 돌아다니면서 많이 보는 것 외엔 더 좋은 방법이 없다고 생각해요. 하지만 이 계통의 직업이 아닌 사람들이 그런 방법으로 작품을 찾아보기는 어려운 일이죠. 대신에 우리나라에도 좋은 뮤지엄이 많이 있으니 가족과 함께 찾아다니며 시간을 보내는 것을 추천해요. 아는 만큼 보인다는 말이 있듯이 많은 걸 보고 느끼면 결국엔 분명 자산이 된다고 생각하거든요.

늘 예술 작품과 함께하는 직업은 아이의 감수성에도 많은 도움이 될 것 같은데요.

아무래도 저의 직업적인 특성 때문에 다른 아이들에 비해 미술관이라는 공간에 적응을 잘하고 좋아하는 것 같아요. 특별한 건 없지만 저만의 교육 방법이라면, 그림이나 애니메이션 작품을 최대한 다양하게 보여주며 시간을 함께하려고 해요. 덕분에 아이는 갤러리를 하나의 재미있는 공간이라고 인식하고 있죠. 어릴 적부터 예술 분야에 자연스럽게 노출되면 아무래도 예술을 어려워하지 않고 좀더 쉽게 다가가고, 작품을 보는 눈도 조금 달라지지 않을까 싶어 기회가 될 때마다 함께 찾아가곤 합니다.

최근에 아이와 가장 재미있게 본 작품은 무엇인가요?

미키마우스 그림이에요. 제가 굉장한 디즈니 덕후라서요. 미키마우스를 모티브로 한 작품을 정말 좋아해요. 그러다 보니 자연스레 아이도 좋아하게 된 것 같아요.

관장님에게 아이와 함께하는 시간은 어떤 의미가 있나요?

아이의 탄생은 제 인생의 많은 부분을 변화시켰어요. 작품을 고를 때도 예전에는 제 위주로 보고 골랐다면 이제는 아이의 감정을 한 번 더 생각하고 고르게 돼요. 뮤지엄 그라운드의 전시를 기획할 때도 어린이를 한 번 더 고려해보게 되는 점도 아이가 생긴 후로 더 강해진 부분이에요. 아이는 저한테 가장 소중한 작품이랍니다. 인생에서 그 어떤 것보다 중요하고 기회가 된다면 늘 함께하고 싶어요. 그렇게 하기 위해선 분명 노력이 필요하죠. 저는 직업 특성상 출장이 잦다 보니 집에 있는 시간에는 아이와 최대한 많이 놀고, 가끔은 회사에도 같이 가요. 시간이 날 땐 여행도 자주 가려고 합니다. 아이와 소중한 추억을 많이 만들어놓고 싶어요. 나중에 재미있는 이야깃거리가 될 수 있게요.

뮤지엄이나 갤러리에 아이와 함께 갈 때 부모들이 알아두면 좋은 팁을 말해주세요.

특별한 교육을 한다 생각하지 말고 자연스럽게 자주 미술관이라는 장소에 노출시켜주세요. 미술관이 딱딱하고 재미없는 곳이 아니라 많은 걸 즐길 수 있는 장소라는 것을 인식시키는 것이 가장 좋은 팁 같아요. 사실 어린아이를 둔 부모들은 미술관에 가면 소리 내지 말고, 뛰지 말고, 만지지 말라는 등의 주위를 줘야 하는 일들이 많이 생기죠. 그런 점들을 한 번에 교육하려다 보면 쉽지 않아요. 하지만 자주 노출을 시키고 꾸준하게 교육하다 보면 미술관 매너들이 결국 아이의 몸에 밴다고 생각합니다. 요즘에는 미술관에서 어린이들을 위한 도슨트나 활동도 많이 구성하기 때문에 아이들과 함께 이런 체험을 잘 활용하면 더욱 효과적일 거예요.

다양한 장르에 도전하는 현대미술 작가

민희영

소개 부탁드려요.

그리고 만드는 일을 하는 민희영입니다. 화가인 남편과 열 살, 여섯 살인 두 아들, 그리고 애완견 아키와 함께 살고 있습니다.

조각과 그림, 출판 등 예술과 관련된 다양한 작업을 하시는 걸로 알고 있어요.

조소를 전공해서 그런지 만들고 그리는 모든 일에 흥미를 갖고 도전하고 있어요. 파인아트로 작은 모형을 만들어 촬영하는 사진 작업과 폴리로 커다란 구상 조각 작업을 해왔어요. 최근에는 독립출판으로 화집을 만들었고, 현재는 드로잉 작업과 그래픽 디자인 일을 하고 있습니다.

현대미술 작가인 엄마, 화가인 아빠와 함께 지내는 아이들이라면 왠지 평범하지는 않을 것 같아요. 두 부모가 직업적 장점을 살려 접근하는 아이의 교육 방법이 있을까요?

요즘에는 아티스트가 아닌 부모들도 아이의 창의성에 중점을 두고 교육을 많이 하기 때문에 저희 부부가 아티스트라고 해서 크게 다른 점이 있을지는 모르겠어요. 가끔 다르다고 느끼는 점은 아마도 이해심 같아요. 다른 부모에 비해 사고가 좀더 열려 있다고 할까요. 아이의 엉뚱하고 어처구니없는 면을 즐겁게 받아들이고, 그 점을 발전시키면 굉장히 멋질 거라고 말해줄 수 있다는 것. 그게 가장 큰 장점 같습니다. 같은 사물을 보더라도 다양한 각도로 느낄 수 있도록 이끌어서 생각의 폭을 넓혀주는 거죠.

최근 아이와 가장 재미있게 시간을 보낸 갤러리는 어디에요?

최근에 김종영미술관의 미디어아트전 〈제3의 이미지〉를 보러 간 적이 있어요. 예전에 작업을 돕던 선배님의 작품이 있어 가게 됐는데, 두 아이가 무척 흥미롭게 감상하더라고요. 사진을 이어 붙여 입체로 재현한 권오상 선배님의 작업을 보고는 사람이 조각조각 나뉘어 있다고 무섭대요. 윤영석 작가의 사진 작품은 사람이 들어 있는 것 아니냐며 신기해했고요. 전 전공이 조소라서 그런지 아무래도 작품을 감상할 때 어떤 기법으로 만들었나, 무슨 의미로 이런 행위를 한 걸까 생각하게 되는데, 아이들과 전시를 보면 보이는 대로의 순수한 느낌이 전해져서 저한테도 도움이 많이 돼요.

작업만 하기에도 빠듯할 텐데, 평소 아이들과도 많은 시간을 보내는 것 같아요.

그런 시간을 잠시라도 꼭 가지려고 노력해요. 일부러 시간을 만드는 거죠. 물론 쉽지는 않아요. 육아는 현실이기에 가족과 함께하는 시간이 어쩌면 예술적인 것과 멀다고 생각될 수 있지만, 가족만큼 감정적인 관계도 없다고 생각해요. 그 때문인지 어떨 땐 가족과 함께하는 시간을 통해 또 다른 작업을 할 수 있는 새로운 영감을 얻기도 해요.

일과 엄마, 두 역할의 균형을 맞추기 위해 어떤 노력을 하나요?

작업과 육아, 사실 잘 어울리지 않죠. 엄마는 특히 아이와 오래 떨어지기 힘들기 때문에 내 작업에 집중하고 싶어도 뜻대로 되지 않을 때가 많아요. 집중할 때쯤 되면 아이들이 벌써 집으로 돌아올 시간이기도 하고요. 그래서 특별히 분리하지 않기로 했어요. 오히려 아이들에게 엄마가 하고 있는 작업을 설명해주고 의견을 묻기도 해요. 엄마의 일을 이해시켜주면 아이들도 엄마의 작업을 존중해주며 흥미롭다고 생각합니다. 이건 예술 하는 엄마뿐 아니라 모든 엄마들에게 해당되는 상황일 거예요. 엄마가 좋아하는 것, 엄마가 잘하는 것, 엄마가 하고 싶은 것 등 엄마에 대한 것을 아이와 공유해보세요. 그럼 엄마에 대해 좀더 알게 된 아이들이 엄마의 일에 도움이 되고 싶어 합니다. 때론 가장 날카롭게 '팩폭'을 날려주기도 하죠.

그림, 예술, 갤러리를 통해 아이를 교육하고자 하는 부모들이 알아두면 좋을 정보가 궁금해요.

갤러리에서 아이와 함께 작품을 감상한다면 미리 공부를 좀 해두는 게 좋아요. 물론 공부한 걸 아이에게 주입하라는 뜻은 아닙니다. 아이의 생각을 넓혀주기 위해 활용하라는 의미지요. 먼저 아이의 생각과 느낌을 들어주고 부모가 미리 공부한 정보를 살짝 더해주어 생각이 여러 갈래로 뻗어 나갈 수 있게 도와주는 거예요. 아이는 부모의 기대에 못 미칠 수도 있어요. 미술 수업을 받기 시작한 아이에게 아이다운 창의력을 기대했는데 생각보다 독창적이지 못할 수도 있죠. 그렇지만 아이다운 창의력이라고 생각하는 그것이 오히려 전형적인 건지도 몰라요. 기대에 미치지 못하는 것 또한 아이다운 모습입니다. 아이는 언제나 내가 생각한 대로 되지 않아요. 그래서 독창적인 것이겠죠. 멋진 그림을 그려주길 바랐는데 아이가 종이를 찢고 있다면 함께 여러 방법으로 찢으며 즐거운 시간을 보내면 돼요. 아이를 믿고 힘을 북돋아주는 것, 내 아이의 시간을 이해하고 기다려주는 것. 그런 태도와 시선이 가장 좋은 교육관이라는 생각이 듭니다.

승윤아

정아일

김기완

한지우

나의 전시회에 놀러오세요

에디터 이다은 일러스트레이터 양예슬

색연필을 쥔 아이의 손마디가 보드랍게 구부러진다. 종이에 사각사각 색을 칠하는 소리를 내더니 작품이 뚝딱 완성된다. 좋아하는 것을 그리고 만드는 아이의 얼굴에는 꽃이 피어난다. 그렇게 차곡차곡 쌓은 작품들로 전시회를 연 아이들이 초대장을 보내왔다. '여러분, 나의 전시회에 놀러오세요!'

전시장이 멋있어

정아일, 7세

ARTIST MINI INTERVIEW

전시를 소개해주세요.

저는 먹을 걸 정말 좋아해요. 그래서 그동안 만들어보고 싶었던 음식을 만들고 그려보기로 했어요. 엄마가 저보고 푸드 큐레이터래요. 그걸로 전시를 열었어요!

전시를 연 곳은 어디인가요?

엄마랑 자주 가는 동네 공원에 잔디밭이 있어요. 거기에 돗자리를 깔고 제가 만든 작품으로 꾸며봤는데, 어때요? 멋지죠?

가장 좋아하는 작품은 무엇인가요?

포도두부 된장찌개가 제일 마음에 들어요. 두부에 포도를 넣으면 포도두부가 되는데, 그게 먹고 싶어서 만든 음식이거든요. 그거 말고도 털실로 만든 짜장면, 그림으로 표현한 쿠키, 젤리랑 과자를 올려놓은 피자. 다 제가 만든 작품이에요!

늑대와 친구들

송윤아, 7세

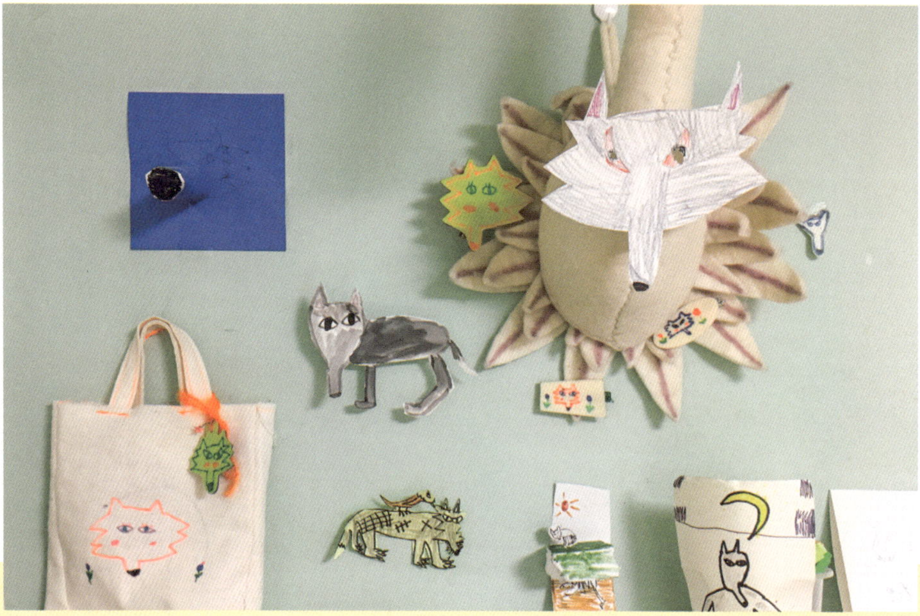

ARTIST MINI INTERVIEW

전시를 소개해주세요.

저는 늑대 소녀예요. 1년 전에 〈정글북〉이라는 뮤지컬을 봤는데, 늑대가 얼마나 영리하고 멋진지 알게 되었어요! 그때부터 늑대에 푹 빠져버려서 늑대와 친구들을 만들었어요.

전시를 연 곳은 어디인가요?

밖에 비가 보슬보슬 내려서 우리 집 안에서 전시를 열었어요.

가장 좋아하는 작품은 무엇인가요?

저는 이 그림을 모두 다 좋아하고 소개하고 싶어요. 왜냐하면 그림은 다 멋지기 때문이에요.

상상 속의 차와 나의 보물

김지완, 6세

상상 속의 차와 나의 보물 My dream car

ARTIST MINI INTERVIEW

전시를 소개해주세요.

우리 아빠는 자동차를 만드는 사람이에요. 내가 그린 차를 아빠가 만들어주면 진짜 멋있을 것 같아서 그림을 모았어요! 나는 세 살 때부터 자동차 그림을 그렸어요. 사람 얼굴보다 바퀴를 먼저 그렸대요.

전시를 연 곳은 어디인가요?

우리 집이요. 내 자동차를 더 구경하고 싶다면 우리 집에 놀러 와도 돼요.

가장 좋아하는 작품은 무엇인가요?

제일 좋아하는 작품 이름은 'My dream car'라고 지었어요. 물에서 달릴 수 있는 바퀴가 엄청 큰 차, 무시무시한 몬스터 트럭, 세 사람이 같이 운전하는 캠핑카도 그렸어요. 이 세상에 하나밖에 없는 차예요. 엄마는 이게 드림카래요!

나만의 스티커 마을

한지우, 10세

아기자기 꼬마 스티커

ARTIST MINI INTERVIEW

전시를 소개해주세요.
스티커 만들기를 너무 좋아해서 매일 만들었더니 스티커가 아주 많아졌어요. 그래서 내가 그린 그림으로 만든 스티커랑 종이인형 만드는 방법을 알려주는 전시를 열었어요.

전시를 연 곳은 어디인가요?
우리 집 거실이요. 가족들이 자주 함께 있는 곳이니까 모두가 내 전시를 자주 볼 수 있잖아요.

가장 좋아하는 작품은 무엇인가요?
저는 아기자기 꼬마 스티커가 마음에 들어요. 반짝반짝 다이아몬드랑 별이랑 또 다른 것들을 만들었어요. 만드는 법이 궁금하죠? 종이에 그림을 그리고, 그림 앞면에 투명테이프를 붙이고 뒷면에도 양면테이프를 붙여요. 모양대로 자른 다음에 판 위에 마스킹 테이프로 스티커를 붙여 주면 끝이에요. 스티커 판은 투명 테이프로 코팅해야 해요.

MUSEUM PEOPLE

예술을 선물하는 사람들

지금 가장 가까이에 있는 물건을 집어 들여다보자. 내 눈앞에는 책 한 권이 보인다. 여러 명의 저자와 편집자, 디자이너가 힘을 합쳐 만든 책이다. 조금만 더 자세히 보면 출판사와 인쇄소에서 일하는 수많은 사람들의 손자국도 보인다. 방법은 전혀 다르지만 같은 양으로 채워진 노력들이 무언가를 완성시킨다. 전시를 하나의 완성품이라고 한다면, 그것이 우리에게 완전하게 도달하기까지 어떤 일들이 벌어지는지 문득 궁금해졌다.

에디터 이다은 일러스트레이터 이지나

지금의 시대를 전시로 만드는 사람

김지현 | 디뮤지엄 수석 큐레이터

디뮤지엄의 많은 전시들은 세상에 나오기까지 보통 어떤 절차를 거치나요?

서로 다른 개성과 정서를 가진 작품과 관객이 적극적으로 접점을 만드는 전시를 기획해요. 그러려면 지금을 살아가는 주변 사람들에 대한 이해와 분석이 중요하죠. 그들의 관심사가 무엇인지, 어떤 삶을 살고 있고, 또 어떤 미래를 꿈꾸는지 다양한 자료와 채널을 통해 들여다보고, 관람객에게 진정으로 영향을 줄 수 있는 게 무엇인지 고민해요. 동시에 디자인, 패션, 사진, 현대미술 등 여러 영역의 작가와 그들의 활동을 전시팀 큐레이터들과 함께 연구하고요. 일단 전시의 주제와 내용이 정해지면 작가 조사와 연구, 작품 선정, 계약, 운송, 전시 프로덕션 등 전시를 위한 일련의 과정을 거쳐요.

디뮤지엄은 20~30대가 가장 즐겨 찾는 뮤지엄 중 하나예요. 이렇게 젊고 대중적인 미술관으로 자리 잡기까지 큐레이터로서 어떤 노력을 했는지 궁금해요.

전시마다 관객과 상호작용할 수 있는 방법들을 다각도로 살펴보려고 노력하는 편이에요. 미술관이 작품을 마주하며 항상 흥미로운 것을 발견하는 장소로 인식될 수 있도록요. 그리고 관람객이 전시의 주제와 내용을 자연스럽게 이해하게끔 많은 걸 연구해요. 거기엔 전시의 섹션 구성과 작품의 배치뿐 아니라 일종의 경험 디자인이라고 할 수 있는 동선과 디지털 옥외 광고 디자인도 포함돼요. 이번 〈I draw: 그리는 것보다 멋진 건 없어〉 전시에는 공감각적인 경험을 위해 참여 작가의 작업 세계에 기인해 공간을 연출하고 향과 사운드 등의 요소들을 적용했어요.

큐레이터는 작가와 가장 긴밀히 소통하는 만큼 부딪칠 일도 생길 것 같은데, 작가와의 관계에서 가장 중요한 태도는 무엇이라고 생각하나요?

미술관에서 작가를 통해 소개하고자 하는 작품과 이야기가 작가의 생각과 다른 경우가 있어요. 이때는 다시 기획 의도를 차분하게 공유하고, 서로의 의견을 집중해서 듣고, 토론하고, 타협하면서 방향을 잡아가요. 특히 참여 작가가 많은 주제 그룹전의 경우 분주하게 전시를 준비하다 보면 모든 작가와 충분히 커뮤니케이션하기가 쉽지 않아요. 뻔할 수 있지만 치열하게 작업을 지속하는 작가와 적극적으로 소통하며 신뢰할 수 있는 관계를 만드는 것이 중요하다고 생각해요. 가장 어려운 일이고, 지속해서 노력해야 하는 부분이죠.

큐레이터에게는 '덕후' 기질이 필요하다던데, 그런 면이 있나요?

덕후보다 새로운 것을 찾아 옮겨 다니는 호퍼 기질이 강한 것 같아요. 오랜 기간 지켜보고 수집도 하는 걸 하나 꼽자면 바로 '실시간 자연 데이터'예요. 기술이 삶 깊숙이 자리 잡고 우리의 신체가 스크린에 의해 제한되면서, 자연을 인식하고 보는 방식에 어떤 영향을 미칠까 하는 궁금증이 있었어요. 당시에 전 세계 해안 곳곳에 설치된 부표에서 측정되는 파도, 풍향, 수온 등의 데이터를 실시간으로 업데이트하는 'NOAA'라는 웹사이트를 발견했고요. 종종 특정 지역을 골라 실시간 데이터를 프로그래밍으로 시각화해보고는 해요.

예술을 놀이로 바꾸는 사람

하유진 | 헬로우뮤지움 에듀케이터

에듀케이터의 주된 업무를 설명해주세요.

미술관의 전시를 기반으로 교육 프로그램 기획, 관람객 교육 등을 담당해요. 전시장에 들어가면 내 앞에 있는 작품을 어떻게 이해해야 하는지 난감하던 경험이 있으실 거예요. 에듀케이터는 그런 작품들을 쉽게 이해하도록 체험 프로그램을 만들어요. '사선'에 대해 설명한다고 해볼게요. 아이들에게 "한 발로 서볼까? 느낌이 어때?"라고 물어보면 "넘어질 것 같아요.", "불안해요.", "위태위태해요."라고 대답할 거예요. 이렇게 시각적인 것을 다른 방법으로 경험시키고 작품을 적극적으로 감상하도록 돕는 게 바로 에듀케이터의 역할이에요.

어린이미술관인 헬로우뮤지움은 어떤 곳인가요?

헬로우뮤지움은 개관한 지 13년 된 국내 최초의 사립 어린이 미술관이에요. 아이들이 편안하게 미술을 관람할 수 있도록 그 시선에 맞춰 공간과 콘텐츠를 기획하고 있어요. 단순히 낮은 눈높이에서 그림을 보는 것을 넘어 작품과 함께 뛰고, 뒹굴고, 장난칠 수 있는 공간이에요. 이곳에서만큼은 아이들이 가장 아이답게 움직이고 생각해야 한다고 믿고 있어요.

그런 참여형 프로그램을 계속 만드는 이유는 무엇인가요?

미술관은 작품을 소장, 보관, 연구, 교육, 전시하는 역할을 모두 담당하는 곳이고, 헬로우뮤지움은 그 역할 중 전시나 작품 자체보다 관람객과의 커뮤니케이션을 더 중요시하는 미술관이에요. 아무리 좋고 비싼 작품을 가져다 놓아도 관람객이 마음껏 즐기지 못하면 아무 소용이 없을 테니까요. 저희는 교육 프로그램을 통해 예술이 삶과 가깝다는 것, 놀이처럼 즐길 수 있다는 것, 미술관이 어렵고 딱딱한 공간이 아니라 즐거운 놀이 공간이라는 것을 스스로 느낄 수 있게 하는 데 중점을 두고 있어요.

에듀케이터 생활을 하며 보람도 많이 느꼈을 것 같아요.

늘 그렇죠. 한번은 미술관 입구에서 네 살 정도 된 여자아이가 엄마 손을 잡고 계속 울고 있었어요. 들어가기 싫다고요(웃음). 그때 제가 그랬죠. "이곳은 어린이미술관인데, 안에 여러 그림들이 걸려 있고 바닥과 벽에 낙서를 할 수 있는 공간도 있어. 하고 싶으면 들어가고 하기 싫으면 그냥 가도 괜찮아." 아이가 미술관 안쪽에서 활동하는 친구들을 살펴보고는 조금씩 들어오더라고요. 결국 신나게 미술관을 누비다가 내일 또 오겠다며 돌아갔어요. 아이들에게 처음일 수 있는 미술관 나들이를 즐거운 기억으로 남겨주었다고 생각하니 정말 뿌듯했어요.

교육 프로그램에 참여하는 관람객에게 당부하고 싶은 것이 있다면요?

관람객이 지켜야 할 가장 중요한 마음가짐은 바로 즐기는 거예요. 작가가 던진 질문에 나름대로 답하면서 예술이 주는 즐거움을 공유하는 거죠. 예술에는 정답이 없고, 그렇기에 우리의 이야기는 모두 다 정답이 될 수 있어요. 전시된 모든 작품을 보고 작품에 대한 지식을 알아가야만 잘 감상했다고 느끼는 분들이 많지만, 작품 두세 점만 보더라도 즐기는 방법을 배운다면 언제든 편안하게 미술관을 찾을 마음이 생길 거예요. 나의 모든 감정과 생각이 정답이 되는 경험, 그것이 존중받고 즐겁게 받아들여지는 경험, 예술이 놀이로 바뀌는 경험을 해보시길 바라요.

가치를 복원하는 사람

조자현 | 제나미술품보존연구소 대표

미술품의 보존과 복원, 무엇이 다른가요?

보존학계에서 흔히 보존은 영문으로 'Conservation'이고, 복원은 'Restoration'이라 통칭해요. 보존은 예방보존을 포함하는, 복원보다 더 큰 개념이고요. 예방보존이란 올바른 작품 관리를 위해 작품을 둘러싼 다양한 제반 요소를 검토해서 훼손되는 상황과 사고를 사전에 방지할 수 있음에 주목하고, 그걸 연구하는 일이에요. 복원은 이미 훼손된 작품을 복구하고 작품에 물리적인 행위를 실행하는 걸 뜻해요. 모두 제 역할이죠.

작품 훼손 상태도 여러 가지 경우가 있을 것 같아요.

맞아요. 작품의 복원 기준은 훼손 상태에 따라 아주 다양해요. 원본성에 무리가 있는 경우, 방치할 시 소실되어 사라질 수도 있는 경우, 작품의 심미성을 잃게 된 경우…. 작품이 테러를 당하는 경우도 있어요. 해외에서는 빈번하게 일어나는 일이죠.

가장 좋아하는 작업이 무엇인지 궁금해요.

곰팡이로 훼손된 작품을 복원하는 걸 좋아해요. 곰팡이는 작품에 해를 입혀 물감층을 퇴색시키고 그게 점점 퍼져 자국을 남겨요. 작품을 하얀색으로, 갈색으로 뒤덮어버리죠. 보존 클리닝 과정을 거쳐 다시 말끔한 작품을 감상하게 될 때 참 보람차다고 느껴요.

복원가로 활동하면서 가장 기억에 남는 작품과 에피소드가 있다면 들려주세요.

데이비드 호크니의 작품을 작업한 게 가장 기억에 남아요. 영국에서 학교를 다닐 때 런던의 테이트 미술관에서 수련 과정을 거쳤는데, 대표 소장품 중 하나인 그의 작품 '와터 근처의 더 큰 나무들(2007)'을 보호하는 작업을 맡게 됐어요. 50개의 캔버스로 이루어진 하나의 커다란 작품이었는데, 반복되는 전시로 훼손될 염려가 있었어요. 작품의 노화와 물리적인 손상을 예방하기 위해 예방보존 처리작업을 진행했죠. 각 캔버스 뒷면을 합성천으로 보호하는 작업이었어요. 제일 좋아하는 작가의 작품이 내 손을 거쳐 안전하게 운송되고, 전 세계의 관람객에게 소개된다는 생각에 참 뿌듯했죠. 또 뭉크의 '병든 아이(1886)' 액자를 실제로 보존처리했을 때는 누구보다 가까이에서 작가의 붓질을 마주 보았어요. 그 때 받은 묘한 울림을 아직도 기억해요.

이미 완성된 작품의 오리지널리티를 유지하는 게 매우 중요하다고 들었어요. 작업할 때 가장 중요하게 생각하는 것은 무엇인가요?

저는 작품의 예방보존이 가장 중요하다고 생각해요. 예상되는 훼손과 사고를 사전에 방지하는 것보다 좋은 건 없을 테니까요. 훼손된 작품을 복원하는 것보다 시간과 비용 소모도 절약할 수 있어요. 그래서 작품의 물리적, 객관적 상태를 기록하는 상태조사서를 면밀히 작성하려고 노력해요. 또 작품에 보존처리를 가하기 전에 작품과 작가의 문헌 조사, 보존에 쓰일 재료 탐구, 테스트를 시행하면서 최선의 솔루션과 최소한의 개입으로 보존처리하려고 하죠.

한 권의 책처럼 전시를 디자인하는 사람

김나영 | 오퍼센트 디자인 스튜디오 디렉터

전시 디자이너의 업무 범위가 궁금해요.

제 경우에는 전시의 기획 단계부터 참여하는 프로젝트가 많아요. 콘텐츠의 개요를 잡고 공간상 기획을 마친 다음 이야기를 잘 풀어낼 수 있는 기획팀을 꾸릴 때도 있고요. 반면 박물관이나 미술관의 전시 프로젝트는 시스템이 잘 갖춰져 있기 때문에 바로 디자인을 시작할 수 있어요. 먼저 공간의 평면, 입면 디자인을 잡아요. 콘텐츠 배치와 전시 그래픽, 벽체 및 가구 등 모든 디자인 요소가 밀접하게 연결되어 있기 때문에 동시다발적으로 작업을 진행하죠. 마지막으로 전시 현장에서 시공 감리를 보고, 다음 날 별다른 문제없이 오프닝이 끝나면 '아, 이제 무사히 끝마쳤구나.' 하고 안도하며 하나의 전시를 마무리해요.

특별히 공을 들이는 작업이 있나요?

어느 경우든 공간 디자인에 앞서 꼭 진행되어야 하는 작업은 전시에 대한 아이덴티티 개발이에요. 간단히 말하면 리플릿, 초청장, 현수막 같은 시각적 결과물인데, 디자이너에게는 공간의 콘셉트를 잡는 길잡이가 되고, 관람객에게는 전시의 첫인상이 되는 매우 중요한 작업이죠. 그래서 아이덴티티 개발에 공과 시간을 많이 들이는 편이에요.

전시와 책을 만들어가는 과정이 비슷하다고 느낀다고요.

맞아요. 첫 직장에서 편집 디자인과 전시 디자인을 병행했는데, 일을 하다 보니 책과 전시를 만드는 과정이 참 닮았더라고요. 첫 전시를 맡았을 때, 커다란 책 한 권을 만든다고 생각했어요. 표지부터 목차, 본문, 도판을 한 페이지씩 그대로 벽에 세우는 거예요. 그러면 관람객(독자)의 동선(시선)을 상상하며 따라갈 수 있어요. '이쯤에서는 시각적 장치로 몰입도를 높이면 좋겠다, 텍스트의 위계는 이렇게 결정하자….' 책을 만들 때 고민하고 결정하는 지점들을 전시에도 동일하게 적용하는 거죠. 마치 관람객이 제가 만든 커다란 책 속에서 거닐고 있는 것 같아요.

최근 현대어린이책미술관의 〈MOKA Triangle 트라이앵글〉을 작업했어요. 가족과 어린이 관람객이 특히 많이 찾는 공간인데, 어디에 중점을 두었나요?

이번 전시는 레디 메이드, 콜라주, 추상 형식을 아우르는 '현대미술'이 주제였어요. 난해한 현대미술 개념을 쉽게 전달하되, 참여 작가들의 작품 수준을 고려했을 때 너무 유치해지지 않도록 경계해야 했죠. 호기심을 자극할 소재로 거울과 아크릴을 선택했어요. 거울은 반사 효과로 새로운 형태를 만들어내고, 아크릴은 투명도와 빛의 각도에 따라 상을 왜곡시키니 흥미로울 것 같았어요. 그리고 엄마들이 쉽게 이해하고 아이에게 충분히 설명할 수 있도록 작가들의 작품 작업 방식을 일러스트로 '시각 번역'하는 데 노력을 기울였어요. 이런 노력들이 관람객의 이해를 도왔기를 바라요.

우리는 모르는 전시 디자인의 매력은 무엇인가요?

늘 새로운 주제와 콘텐츠를 만날 수 있다는 점이에요. 작업 기간이 짧은 편이라서 힘들긴 하지만, 스스로 뭔가 도모하기를 좋아하고 탐험을 즐기는 저에게는 끊임없이 새로운 분야와 접촉하는 이 일이 재미있어요. 그 이야기를 다양한 대상에게 다시 들려주는 것도 매력적이고요.

취향을 알게 하는 사람

정도경 | 프린트베이커리 삼청점 매니저

'프린트베이커리'를 소개해주세요.

판화를 의미하는 'print'와 공방을 의미하는 'bakery'가 만나 제작된 프린트베이커리는 서울옥션의 미술 대중화 브랜드예요. 소수의 콜렉터가 아닌 그 누구나 미술을 즐길 수 있도록 아트 컨설팅을 제안하고 있어요.

구체적으로 어떤 일을 하는 곳인지 궁금해요.

주된 상품은 작가의 에디션 판화인데, 한국 현대미술의 거장부터 신진 작가까지 500여 점이 넘는 작품을 멀티플 에디션으로 제작, 유통하고 있어요. 다양한 작가 인프라를 활용해 일상적인 상품과 미술을 접목한 아트 상품도 생산하고 있고요. 또 인기 작가의 작품 전시, 콘셉트에 따른 전시 기획 및 아트슈퍼마켓 등 시각 문화 전반의 미술 사업을 통해서 좀더 많은 사람들이 미술 작품을 공유하고 소장할 수 있는 문화를 이끌어나가고 있어요. 저는 이 곳에서 내방하시는 고객 응대부터 매장 디스플레이, 기획 전시 관리, 매장의 재고 관리, 외부 컨설팅 등 영업과 관리를 담당해요.

신진작가를 발굴하기도 한다고요.

네. 프린트베이커리는 작가들이 작품을 알릴 수 있는 좋은 통로가 되기도 해요. 대표적으로 2017년 네이버와 함께 신진 작가 공모전을 주최해서 당선 작가들의 작품을 전시하고 에디션 판화를 제작한 사례가 있어요. 요즘은 SNS가 잘 발달해서 누구나 자기 어필을 할 수 있잖아요. 그렇게 개인 계정을 찾아보며 젊은 작가들을 발굴하기도 해요.

매장이 밝고 캐주얼한 느낌이에요. 다루는 작품들의 범위도 넓은 것 같고요. 삼청점을 찾는 고객층은 주로 어떤 분들인가요?

경복궁을 찾는 관광객부터 나들이를 즐기는 연인, 주변 갤러리에 왔다가 들르는 분 등 저희가 다루는 작품만큼이나 다양한 고객이 방문해주세요. 프린트베이커리 삼청점은 1층과 2층의 콘셉트를 다르게 운영하고 있어요. 1층은 다양한 상품과 소품으로 가득 찬 아트숍으로, 2층은 프리미엄 에디션 및 원화 위주의 갤러리로 꾸며 놓았어요.

갤러리 매니저의 역할은 무엇이라고 생각하나요?

시작이 반이라는 말이 있듯이, 그림도 처음 사기까지는 어렵지만 한 번 그림을 사 본 사람은 그 매력에 푹 빠져버릴 거예요. 그 첫걸음에 힘을 실어드리는 것이 제가 꼭 해야 역할이자 가장 어려운 숙제인 것 같아요.

왜 많은 이들이 예술품을 소장하려고 할까요?

예술을 보는 안목은 스스로 노력하여 완성된다고 하죠. 자신의 취향을 알아가는 것이야말로 자신을 알아가는 것이고, 그게 바로 안목을 키우는 방법이라고 생각해요. 다양한 전시와 작품들을 보고 느끼면서 키운 안목으로 본인의 취향에 꼭 맞는 작품을 직접 맞이한다는 것은 단순히 소유 욕구를 채우는 것이 아니라 마음을 채워주는 일 아닐까요?

전문가들이 말하는
예술과 한 발짝 더 가까워지는 방법

김지현
"아이와 미술관에 가거나, 작가와 함께하는 프로그램에 참여하거나, 서점에 자주 가면서 예술의 즐거움을 알려주세요. 예술은 아이에게 언제든 만날 수 있는 마음 넓은 친구처럼 존재할 거예요."

하유진
"전시를 보러 가기 전 아이와 전시의 주제 및 작품에 대해 미리 이야기를 나누며 사전 활동을 하고 그날 보고 싶은 작품을 두세 개 정해서 여유롭게 관람하기를 추천해요."

조자현
"작품의 생명을 느낄 수 있도록 최대한 멀리서도 보고, 가까이서도 보세요. 작품의 정보를 알려주는 캡션을 지나치지 말고, 재료들을 기억해 두었다가 집에서 미술 놀이를 해봐도 좋겠죠."

김나영
"작은 드로잉북을 가지고 다니면서 아이가 자기만의 언어나 그림으로 생각을 표현할 수 있도록 차분하게 기다려주세요."

정도경
"구상과 추상, 컬러풀과 모노톤, 동양화와 서양화 등 카테고리별 선택지를 두고 자신의 취향을 알아가다 보면 자연스럽게 좋은 작품을 고르는 자신만의 기준이 생길 거예요."

MY DOCENT OF THE MUSEUM, DAVID HOCKNEY

에디터 김현지 일러스트레이터 김혜정

봄이 무르익는지, 햇볕이 다정하다. 눈에 닿은 모든 것이 반짝반짝 빛나는 것 같다. 훌쩍 떠나버릴지 모를 봄을 찬찬히 느끼고 싶어서, 미술관으로 향했다. 느리게 걸으며 시간을 보내기에 꽤나 보람차고 흥미로운 이곳에 익숙한 얼굴이 보였다. 움직이는 눈과 깊은 호기심을 가진 오늘의 도슨트, 데이비드 호크니다.

이 초상화는 산사태처럼 내 마음을 덮칩니다

얀 반 에이크, 아르놀피니 부부의 초상화, 1434, 오크 판화에 유화, 런던 내셔널 갤러리

우리는 먼저, 초상화 앞에 섰다. 런던 내셔널 갤러리에서도 본 적 있는, 얀 반 에이크의 '아르놀피니 부부의 결혼'이다.

"사람을 그린 그림은 우리 안에 깊숙이 뿌리박고 있습니다. 게다가 모든 사람들이 얼굴에 관심이 있습니다. 다른 사람의 이야기를 들려주는 것은 우리 안에 아주 깊숙이 자리 잡고 있는 본능입니다. 그것은 어떤 방식으로든 표출될 것입니다." 1

서서히 다가가 두 사람의 얼굴을 바라본다. 어떤 사연이 있기에 사랑의 설렘보다 엄숙함과 근엄함이 느껴지는 걸까. 중앙에 있는 볼록 거울을 들여다보려고 얼굴을 쑥 내밀고 보다 이내 주춤거리며 뒤로 물러섰다. 이제 호크니가 들뜬 목소리로 그림을 요모조모 뜯어보기 시작한다.

"저는 어떠한 작품보다 이 작품을 오래전부터 높이 평가해왔으며 몇 번이나 진품을 보러 가곤 했습니다. 늘 샹들리에에 매료되었어요. 이것은 밑그림이나 수정 작업이 전혀 없이 그려졌는데, 이렇듯 복잡한 원근법적 형태를 그렇게 그린 것은 놀라운 솜씨입니다. 반 에이크는 구멍 옆에 화판을 거꾸로 걸어놓고 표면에 보이는 형상을 그대로 그렸을 것입니다. 샹들리에가 올려다 보이는 모습이 아니라 정면으로 보인다는 점을 눈여겨보세요. 이것은 거울 - 렌즈의 효과인데, 이렇게 하려면 그리고자 하는 대상과 수평으로 거울 - 렌즈를 맞추어야 합니다. 샹들리에는 그의 기량을 보여주기에 아주 좋은 주제였을 것입니다. 화가들이 생각하는 것은 바로 그 점이에요." 2

얀 반 에이크가 거울 - 렌즈라는 광학 도구를 사용했을 것이라는 의견은, 호크니의 가설일 수도 있다. 그렇다 할지라도 나는 연구자로서의 그의 접근이 만족스럽다. 샹들리에를 유심히 보다가 혼자라면 놓치고 말았을 구석구석을 살펴본다. 왼쪽 창에서 빛을 머금은 과일, 벗겨진 신발, 창문 밖으로 어렴풋이 보이는 열매까지 시선이 옮겨졌다. 각 물건이 놓인 이유와 사연을 심각하게 추측해보다 얼굴에 웃음이 번졌다. 두 사람의 평온한 얼굴 사이에서 반갑게 맞이하는 강아지를 봤기 때문이다.

나의 공간감은 폴 세잔의 발견에 영향을 받았습니다

폴 세잔, 사과들, 1878~79, 캔버스에 유채, 메트로폴리탄 미술관

"세잔은 처음으로 두 눈을 써서 그림을 그린 화가입니다." 3

이제 내 눈 앞에는 세잔의 사과가 있다. 세상을 움직이는 세 번째 사과라 했던가. 비행기 안에서 폴 세잔의 다큐멘터리를 본 적이 있다. 보수적인 아버지, 에밀 졸라와의 우정, 비교적 덜 알려진 그의 인물화만을 조명하던 미술관 큐레이터의 말까지, 화가의 여러 시도와 배경을 담담히 들려줬다. 특히 인상적인 것은 누구는 죽고 세상은 끊임없이 변해가지만 매일 같이 생트빅투아르산을 오르고 사과가 썩어 문드러질 때까지 관찰하고, 아내나 지인, 자신의 초상을 계속해서 그렸다는 점이다.

"이 그림을 좀 멀리 떼어놓고 보세요. 멀어지는데도 묘하게 사과는 점점 더 확고해지고 선명해집니다. 세잔의 이미지는 감상자에게서 나오는 것, 감상자의 공간을 점유하는 것이죠. (중략) 세잔의 혁신은 그림의 대상이 자신과 어떤 관계를 가지는가에 관해 스스로 의혹을 그림 속에 집어넣었다는 데 있어요. 그는 시점이 고정되지 않는다는 것을 깨달은 겁니다. 우리는 언제나 사물을 복수의 시점에서 때로는 모순적인 위치에서 바라보기 때문이에요. 그것이 바로 두 눈을 지닌 인간의 두 시야입니다." 4

얼마 전 서울시립미술관에서 호크니의 전시를 봤을 때도 비슷한 경험을 했다. 몇몇 작품 속 사물들이 묘한 방식으로 나를 직접 그 장소에 있는 듯한 기분이 들게 한 것이다. 이제야 분명해졌다. 호크니의 작품을 관통하는 커다란 주제는 '보는 것'에 관한 시도다.

"눈은 항상 움직입니다. 눈이 움직이지 않는다는 것은 죽었다는 뜻입니다. 보는 방식에 따라 관점도 달라집니다. 그러므로 관점 역시 끊임없이 변화하는 것이지요." 5

피카소의 자유로운 태도는 나에게 큰 영감을 줍니다

선명한 사과가 아직 마음에서 식지 않았는데, 호크니를 뒤따르다 보니 어느덧 피카소 그림이다.

"나는 '아비뇽의 아가씨들'을 제대로 이해하기까지 아주 오랜 시간이 걸렸어요. 뉴욕에서 그것을 보고 나는 마침내 이해할 수 있었어요. 이것은 놀라운 픽쳐입니다. 이것은 형상과 배경이 완전히 얽혀있는 것입니다. 피카소는 이 작품을 작업실에만 두고 거의 10년간 아무에게도 보여주지 않았습니다. 그가 처음 이 그림을 공개했을 때 일부 사람들은 그저 끔찍하다고만 생각했어요." 6

그의 들뜬 목소리를 듣고 있으니 호크니 전시에서 본 '나와 내 우상'이 떠올랐다. 벌거벗은 채로 피카소 앞에 겸손한 자세로 앉아 있는 모습은 피카소를 향한 경외심이 전해졌다. 이후 피카소의 '나이 든 기타리스트'를 오마주한 그림을 자신의 판화 시리즈 '푸른 기타'에 추가하기도 했다. 피카소의 방식과 그림은 그가 다양한 각도에서 대상을 묘사하는 데 큰 영감을 준 것이 틀림없다.

"나도 피카소처럼 네 가지 전혀 다른 종류의 그림을 그릴 수 있다는 사실을 증명하겠다고 마음먹었습니다. 그 작품들에 모두 부제를 붙이고 각기 다른 이집트 양식, 환영적 양식, 평면적 양식으로 그렸습니다. 그러나 나중에 작품들을 보았을 때 근본적으로 태도가 동일하며 거기서 내 자신을 얼마나 발견하게 된다는 점을 깨달았습니다." 7

파블로 피카소, 아비뇽의 여인들, 1907, 캔버스에 유채, 뉴욕 현대미술관

하나의 선은 특정한 속도를 갖고 있다고 말할 수 있습니다

이제 호크니는 반 고흐의 초기 드로잉으로 나를 이끌었다. 고흐의 드로잉을 볼 때마다 나는 마음이 요동친다. 그 사람의 피부결과 입고 있는 옷의 질감, 들고 있는 사물의 부피까지 생생하게 와 닿아서 마치 그 사람을 잘 알게 된 거 같은 착각이 든다. 고흐의 드로잉을 보는 호크니의 표정 역시 아주 들떠 보인다. 그는 고흐가 편지에 그린 작은 스케치 앞으로 가 안경을 고쳐 쓴다.

"그것들은 당시 그가 그리고 있던 큰 그림들을 응축시킨 것입니다. 그래서 그가 편지를 보낸 테오와 다른 사람들이 그가 무엇을 하고 있는지를 이해할 수 있었습니다. 요즈음이라면 아이폰으로 그 스케치를 보냈을 것입니다. 그 안에는 모든 것이 담겨 있고, 모든 것이 거기에 있습니다. 그는 어떤 것도 불완전하게 만들지 않았습니다." 8

호크니가 반 고흐에 깊은 애정을 쏟는 이유는 존경 외에 유대감 같은 게 더해진 것일지도 모르겠다. 반 고흐가 지방의 소도시인 아를에서 작업을 했듯이 호크니 역시 외딴 요크셔의 풍경에 둘러싸여 그림을 그리고 있다는 점에서 그렇다.

"만약 반 고흐가 그와 같이 고립되지 않았더라면 그가 그렇게 멀리 그리고 그렇게 빨리 나아갈 수 있었을지 확신할 수 없습니다." 9

자신의 경험을 이야기하듯 담담한 어투다. 이어 호크니는 강력한 공감을 형성하는 데는 렘브란트도 마찬가지라고 덧붙였다. 절로 끄덕이고 만다. 머릿속에 있는 렘브란트의 자화상이 고흐의 그림 옆에 같이 포개졌다.

"정말로 뛰어난 소묘화가에게는 공식이 없습니다. 각각의 이미지가 새롭습니다. 렘브란트와 프란시스코 고야, 피카소, 반 고흐의 작품이 그렇습니다. 렘브란트나 반 고흐의 작품에서는 같은 얼굴이 반복되지 않습니다. 그들의 작품에는 항상 개개인의 특징이 드러납니다." 10

빈센트 반 고흐, 에밀 베르나르에게 보낸 편지 6, 페이지 5,
종이에 펜, 모건 라이브러리 & 뮤지엄

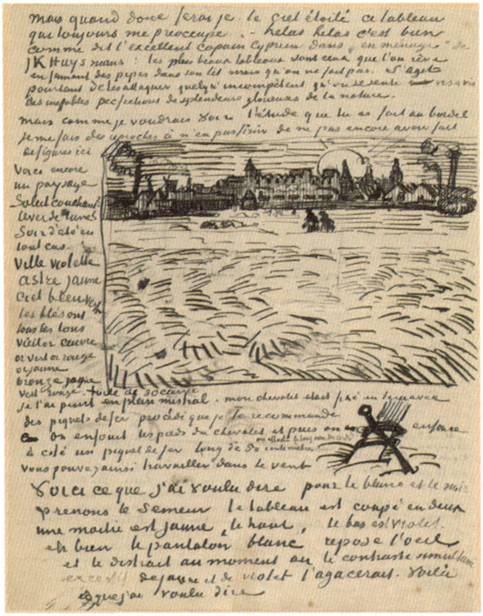
mais quand donc ferai-je le ciel étoilé ce tableau
qui toujours me préoccupe. - helas helas c'est bien
comme dit l'excellent copain Cyprien dans "en ménage" de
JK Huysmans : les plus beaux tableaux sont ceux que l'on rêve
en fumant des pipes dans son lit mais qu'on ne fait pas.
Voici encore un paysage
Soleil couchant
Voici ce que j'ai voulu dire pour le blanc et le noir
prenons le Semeur le tableau est coupé en deux
une moitié est jaune, le haut, le bas est violet.
eh bien le pantalon blanc repose l'oeil
et le distrait au moment où le contraste simultané
excessif de jaune et de violet l'agacerait. Voilà
ce que j'ai voulu dire

빈센트 반 고흐, 에밀 베르나르에게 보낸 편지 7, 페이지 2,
종이에 펜, 모건 라이브러리 & 뮤지엄

나는 처음부터 풍경 회화를
떠난 적이 없습니다

데이비드 호크니, 와터 근처의 더 큰 나무들, 2007, 50개의 캔버스에 유채, 테이트 미술관

호크니가 안내하는 마지막 그림은 그가 그린 '와터 근처의 더 큰 나무들'이다. 오랫동안 바라보고 열심히 바라보는 또 한 사람이 떠올랐다. 정원을 바라보는 모네다.

"모네는 나는 이것을 보겠다고 결심했을 겁니다. 물에 반사되는 그림을 실제로 어떻게 볼 수 있을까 말이지요. 그 후 10~15분 동안 기억력이 아주 많이 좋아질 것입니다. 상상해보세요. 이른 아침 모네가 한 일은 수련이 핀 연못으로 걸어 내려가 담배 몇 대를 피우며 그곳에 앉아 있는 것이었습니다. 그런 다음 돌아와 그림을 그렸습니다." 11

호크니 역시 자연이 주는 경이로움을 재발견한다. 와터 근처의 거대한 나무에 가까이 다가가니 숲 앞에 서 있는 듯 나무 내음이 나고, 끝에서 끝으로 걸으니 마치 숲길을 걷고 있는 착각도 든다. 순간 나의 표정을 읽었는지 호크니가 고개를 젓는다.

"이것은 그저 환영이 아닙니다. 이 작품은 당신으로 하여금 '그 안으로 발을 들여놓고 싶다'고 생각하게 만드는 그림이 아니라는 뜻입니다. 당신의 마음은 이미 그 안에 있습니다. 이 작품은 당신을 감싸 안습니다. 나는 사람들이 이 작품 앞에서 이런 경험을 했으면 합니다. 이 작품은 거대한 회화입니다. 이렇게 큰 회화는 많지 않습니다." 12

호크니는 자연에서 건져낸 진정한 회화의 힘이 나에게 와 닿기를 바랐다. 거대한 그림은 큰 숨을 몰아쉬듯 긴 호흡이 필요했다. 허공을 향해 가지를 뻗은 나무들, 아름다운 색감의 근원지, 나뭇잎이 돋아나기 전 민낯의 나뭇가지 사이에 보이는 여백까지. 풍경 속에서 황홀감을 느끼는 동안 오늘의 도슨트는 이렇게 말하며 조금씩 멀어져 갔다.

"나는 항상 그림이 우리로 하여금 세상을 볼 수 있게 만들어준다고 생각해왔습니다. 그림이 없다면, 누가 무엇을 볼 수 있을지 확신할 수 없다고 봅니다." 13

* 해당 기사는 데이비드 호크니의 창작 세계가 독자들에게 친근하게 다가가길 바라는 마음으로 관련 저서를 참고하여 가상 인터뷰로 작성했습니다.

1 마르코 리빙스턴, 《데이비드 호크니》
2, 4 데이비드 호크니, 《명화의 비밀》
3, 5 데이비드 호크니, 마틴 게이퍼드, 《그림의 역사》
7 레리 리버스와의 대담 중에서, 《Art And Literature 5》,
6, 8~13 마틴 게이퍼드, 《다시, 그림이다》

GET LOST IN FUN MUSEUMS

에디터 김현지 일러스트레이터 양예솔

여기선 길을 잃어도 좋아

외국 박물관을 가보면 우리는 자주 그곳에 사는 아이들이 부럽다. 폭넓은 예술 작품을 어릴 때부터 보고 느껴온 익숙한 얼굴과 박물관 안을 거리낌 없이 누비는 편안한 행동이 그렇다. 아이들과 해외에 들를 예정이라면, 현지 아이들이 일상 속에 누비는 박물관에 가보자. 좋아하는 작품 옆에서 잠을 자고 그림 사이에서 음악을 들으며 춤도 출 수 있다. 또, 박물관을 잊을 수 없게 만드는 흥미진진한 아트숍도 놓치지 말길!

필드 자연사 박물관
The Field Museum

〈박물관이 살아있다〉 촬영지로 유명한 자연사 박물관으로 특히 공룡과 함께 잠자는 'Dozin' with the Dinos'의 인기가 높다. 하루 동안 나비 박제를 해부하거나 티라노사우루스 'Sue'의 3D 아이맥스 영화를 관람하고 공룡 홀에서 잠을 자면 된다. 밤이 깊어 박물관이 깜깜해지면, 손전등 하나를 들고 공룡과 행성 전시를 관람하는 스릴을 경험해보자.

•

1400 S Lake Shore Dr Chicago IL 60605 USA
fieldmuseum.org

롱 아일랜드 어린이 박물관
Long Island Children's Museum

생활 속에서 놀이할 수 있는 여러 프로그램이 있으며 자연과 함께하는 교육프로그램이 많다. 밖에서 모래 놀이와 물놀이를 할 수 있고, 실내에는 비눗방울 만들기, 모래 놀이터, 타악기 음악실, 방송국 등이 있다. 흥미로운 건 벽돌 쌓아 집짓기, 자전거 체인 갈기, 방충망 교체 등 실생활에 필요한 것들을 마치 어른이 된양 체험해볼 수 있다는 점이다.

•

11 Davis Ave Garden City NY 11530 USA
licm.com

파리 놀이공원 박물관
Musée des Arts forains

19세기 와인 저장고를 놀이동산 박물관으로 바꿨다. 수집가 장 폴 파방이 유럽 여기저기에서 모은 것으로 판타지 세계로의 대모험을 떠날 수 있는 예술품과 장신구가 가득하다. 19세기 유럽에서 만들어진 자전거와 회전 목마를 타면 베니스, 중국, 물랑루즈로 여행을 떠나는 상상이 든다. 이탈리아 가면을 쓰고 오페라를 부르는 인형 공연도 관람 가능하다.

•

53 Avenue des Terroirs de France 75012 Paris France
arts forains.com

치히로 미술관
Chihiro Art Museum

일본의 그림책 작가 이와사키 치히로가 살던 집을 개조해서 만든 곳이다. 아이의 그림을 주로 그렸던 그녀이기에 미술관도 어린아이들과 함께 관람하기 편하게 구성되어 있다. 아틀리에에는 그녀의 소품이 그대로 놓여 있고 정원 속 햇볕은 포근함을 준다. 전시는 생전 치히로가 그렸던 그림에서 선별한 작품들과 다른 작가들의 원화로 나누어져 있다.

•

4 Chome 7 2 Shimoshakujii Nerima City Tokyo 177 0042 Japan
chihiro.jp

칸쿤 수중 박물관
Museo Subacuatico de Arte

영국의 조각가 제이슨 테일러는 자연과 인간이 공존하여 살아가는 모습을 보여주고 싶어서 조각상들을 바다 아래에 설치하기 시작했다. 바다 밑에 위치한 박물관은 여섯 명의 조각가가 직접 제작한 오백 개 이상의 조각품이 전시되어 있다. 관람객들은 스노클링이나 다이빙을 해서 바다 아래에 위치한 세 개의 갤러리를 관람하면 된다.

•

Cerrada Las Golondrinas 24 Alfredo Bonfil 77560 Cancún Q.R Mexico
musamexico.org

코펜하겐 실험박물관
Experimentarium

수준 높은 과학 전시물을 '만져봐'야만 하는 박물관이다. 혁신적이고 새로운 방법으로 과학, 생물 안전에 관한 지식을 쌓도록 돕는다. 파도에 의해서 배가 움직이는 실험을 해보거나 심폐 소생술, 인체 해부학 수업도 있다. 실제 동물들의 장기를 가지고 선생님의 설명을 들을 수 있어 생생한 경험이 될 것이다.

•

Tuborg Havnevej 7 2900 Hellerup Denmark
experimentarium.dk

영국 박물관
British Museum

영국을 대표하는 박물관으로 가족에게 무료로 제공하는 프로그램이 다채롭다. 아이들의 연령에 맞는 지도가 준비되어 만 3~5세용 유아는 도형과 색깔로 이루어진 안내도를 받고, 만 6세 이상 어린이는 좋아하는 전시실을 하나씩 따라가면서 작품을 익히게 돕는다. 또, 아이들이 지루함을 느끼지 않도록 흥미로운 소품을 넣은 백팩 대여 프로그램도 있다.

•

Great Russell St Bloomsbury London WC1B 3DG United Kingdom
britishmuseum.org

레이나 소피아 미술관
Museo Nacional Centro de Arte Reina Sofía

파블로 피카소의 '게르니카'와 살바도르 달리의 작품 등 스페인의 근현대미술 작품을 소장한 곳이다. 어린이를 동반한 가족 관람객에게 가깝게 다가갈 수 있도록 음악과 무용을 병합한 미술 감상인 '테 수에나Te suena' 프로그램을 운영한다. 음악가 및 진행자가 그림 속에 그려진 소품으로 소리를 내보거나, 작품에 따라 멜로디를 바꾸어 연주한다.

•

Calle de Santa Isabel 52 28012 Madrid Spain
museoreinasofia.es

스칸센

Skansen

유럽 최대 규모의 야외 박물관이다. 스웨덴의 민속촌이라고 불리며 스웨덴의 1700~1900년대의 건축물을 각 지역에서 옮겨와 옛 교회, 학교, 농장, 농가 등을 복원했다. 뮤직 페스티벌, 크리스마스 행사 등 시즌별로 다양한 이벤트를 열며, 동물원도 있어 가족이 나들이 겸 들르기 좋다.

•

Djurgårdsslätten 49 51, 115 21 Stockholm Sweden
skansen.se

빅토리아&앨버트 어린이박물관

V&A Museum of Childhood

다양한 시대별 장난감이 전시되어 있는 어린이박물관이다. 영국에서 가장 많은 어린이 컬렉션을 소유한 박물관으로, 대부분의 전시가 아이들의 눈높이에 맞춰 낮게 위치해 있다. 다양한 체험 공간은 물론이고, 동화구연부터 그림자 연극까지 매일 크고 작은 이벤트들이 열린다.

•

Cambridge Heath Road London E2 9PA United Kingdom
vam.ac.uk

지브리 미술관

Ghibli Museum

지브리는 〈센과 치히로의 행방불명〉, 〈이웃집 토토로〉 등을 만든 일본 애니메이션의 거장 미야자키 하야오 감독의 스튜디오 이름으로, 이 미술관은 하야오 감독이 직접 디자인했다. 아담한 건물 안에 만화 속에서나 볼 법한 상상력으로 빚은 꿈같은 세상이 펼쳐진다. 1층에는 미야자키 하야오의 작업실을 재현해 놓아 창작 과정과 환경을 엿볼 수 있다.

•

1 Chome 1- 83 Shimorenjaku Mitaka Tokyo 181- 0013 Japan
ghibli-museum.jp

줌 킨더뮤지엄

ZOOM Kindermuseum

상설 전시장이라기보다 아이들을 위한 체험 프로그램이 다양한 곳이다. 지구와 토양에 관한 생태 체험 EARTH&SOIL, 생각한 것을 그리고 페인팅하는 Art Workshop, 애니메이션 필름 스튜디오와 함께 캐릭터 만들기 ZOOM Animated Film Studio, 증기선을 타고 동굴을 탐험하고 녹색의 신비한 서식지를 만나는 항해 체험 ZOOM Ocean 등이 있다.

•

Museumsplatz 1 1070 Wien Austria
kindermuseum.at

남는 건 뮤지엄 굿즈

전시의 감동을 내 방으로 가져오는 가장 좋은 방법

키아스마 현대미술관

Museum of Contemporary Art Kiasma

'키아스마'는 핀란드어로 신경, 교차점을 의미한다. 헬싱키 현대미술의 만남의 장소인 곳으로 흥미롭고 개성적인 컬렉션이 넘쳐난다. 빨강, 노랑, 초록, 민트 등 색을 맞춰 진열된 소품들이 눈과 마음을 즐겁게 한다. 예술가들이 그린 엽서, 티셔츠, 가방과 다채로운 소품들의 종류가 많은 편이다.

•

Mannerheiminaukio 2 00100 Helsinki Finland
kiasma.fi

리터 스포트 초콜릿 뮤지엄

Ritter Sport chocolate museum

리터는 화학물질을 최소화한 초콜릿을 만드는 회사다. 뮤지엄에는 초콜릿 공장 모형이 부지런히 초콜릿을 운반하는 식으로 초콜릿의 역사를 아이들의 시선에 맞게 흥미롭게 전시한다. 카카오 나무와 초콜릿 콩이 어떻게 초콜릿이 되는지, 보고 듣고 냄새를 맡으며 초콜릿을 만들어보는 체험도 있다.

•

Alfred-Ritter-Straße 27, 71111 Waldenbuch Germany
ritter sport.de

빅토리아&앨버트 박물관

V&A Museum

유럽 미술부터 동양 미술까지 전 세계의 시대와 양식을 수집한 세계적인 규모의 공예미술관이다. 뮤지엄숍은 메인숍, 로드쿼터숍, 북숍, 패션숍 네 개로, 웬만한 편집숍보다 볼거리가 많다. 타이포그래피가 인상적인 에코백, 컬러풀한 디자인 상품 등 V&A의 아이덴티를 드러내는 제품이 즐비하다.

•

Cromwell Rd, Knightsbridge, London SW7 2RL United Kingdom
vam.ac.uk

휘트니 미술관

The Whitney Museum of American Art

에드워드 호퍼 외 현재 왕성하게 활동하는 미국 작가들의 전시가 주로 열린다. 미술관은 예술가들의 작품 활동을 지원하며 신선한 예술성과 큰 스케일, 묵직한 양감의 전시로 구성이 알차다. 뮤지엄 숍은 전시 작가의 관련 상품들이 많은 부분을 차지하며 제프쿤스, 쿠사마 야오이 등 많은 현대 작가들의 디자인 제품들이 눈여겨볼 만하다.

•

99 Ganesvoort St. NY 10014 USA
whitney.org

롯코 오르골 뮤지엄

Rokko International Musical Box Museum

산장에 오르골 소리가 흘러 동화 속에 들어온 기분이다. 박물관에는 오르골 숍과 오르골 만들기 체험장, 오르골 콘서트홀과 카페, 야외 호수 정원이 있다. 오르골 숍에는 박물관에 전시 중인 오르골 미니어처를 비롯해 핸드메이드 오르골들이 전시, 판매되고 있다. 체험관에서는 자신의 취향대로 직접 오르골을 만들어볼 수 있다.

•

Kitarokko 4512 145 Rokkosancho, Nada Ward, Kobe, Hyogo 657 0101 Japan
rokkosan.com

퐁피두 센터

Centre Pompidou

훌륭한 현대 예술품뿐 아니라 건축물 자체가 주는 생기와 혁신적인 아이디어가 돋보인다. 특히 서점, 디자이너 부티크의 제품군이 다양하고 풍성하다. 부티크에는 트렌디한 감각의 인테리어 상품부터 기획 전시를 하는 작가들의 굿즈가 있고 서점에는 다른 서점에서 쉽게 구하기 어려운 미술, 사진, 아트 관련디자인, 어린이 워크북, 디자인 토이 등이 다채롭다.

•

Place Georges-Pompidou, 75004 Paris France
centrepompidou.fr

미피 박물관

Nijntje Museum

작가 딕 브루나가 만든 캐릭터, 미피의 박물관이다. 박물관은 어린아이들의 체험 위주로 꾸며져 있다. 아트숍은 미피로 만든 디자인 제품의 천국이어서, 아이들이 발길을 옮기기가 쉽지 않다. 여러 언어로 번역된 미피의 책 외에도, 엽서, 도자기, 인형, 문구, 옷, 가방…. 어느 하나 사랑스럽지 않은 것이 없다.

•

Agnietenstraat 2 3512 XB Utrecht Netherlands
nijntjemuseum.nl

클링스포르 박물관

Klingspor Museum

타이포그래피, 캘리그래피, 북디자인을 다룬다. 클링스포르 박사의 소장품을 중심으로 여러 서체 디자이너들의 독창적이고 국제적인 도서 디자인과 활자 미술을 모았다. 아이들과 어른들이 책과 글을 주제로 창조적으로 교감하길 바라며, 그림책, 영화를 연계한 다양한 수업과 다양한 캘리그래피, 서체 작가들의 래터링 수업을 진행한다.

•

Herrnstraße 80 63065 Offenbach am Main Germany
klingspor museum.de

토이 민트 박물관

MINT Museum of Toys

세계에서 처음으로 지어진, 오직 장난감을 위한 박물관이다. MINT는 Moment of Imagination and Nostalgia with Toys의 약자로, 희귀한 디즈니 캐릭터, 뽀빠이, 아스트로 보이, 배트맨 등 5만여 점의 장난감들이 전시되어 있다. MINT Shop은 박물관 관리자들이 직접 선택한 기념품과 특별한 상품들이 가득하니 꼭 들러보길 바란다.

•

26 Seah Street Singapore 188382
emint.com

암스테르담 시립 미술관

Stedelijk Museum Amsterdam

네덜란드 암스테르담에 있는, 근현대 미술을 다루는 미술관이다. 미술관 외부의 건축물, 포스터 디자인, 전시 안내 팸플릿, 가이드북을 아우르는 브랜딩이 절제되면서도 실험적이다. 뮤지엄숍은 다양한 아트 디자인 제품, 전시 관련 상품, 미술관 자체의 실험적인 제품, 예술 관련 서적 등을 판매하고 있어 또 하나의 전시로 여겨질 정도다.

•

Museumplein 10, 1071 DJ Amsterdam Netherlands
stedelijk.nl/en

도쿄 스누피 뮤지엄

Tokyo Snoopy Museum

박물관은 스누피를 위해 바쳐진 작가, 찰리 먼로 슐츠의 인생을 소개한다. 스누피의 탄생과정, 연필과 수정펜 자국이 남은 그림, 원화 등을 만나볼 수 있다. BROWN'S STORE은 오직 스누피 뮤지엄에서만 볼 수 있는 제품들이 많다. 도쿄 한정판 토미카, 뽑아가는 재미를 주는 랜덤 캡슐 토이, 365일 날짜 스트랩이 있어 취향에 맞게 고르는 재미도 있다.

•

5 Chome 6 20 Roppongi, Minato City, Tokyo 106 0032 Japan
snoopymuseum.tokyo

비트라 디자인 뮤지엄

Vitra Design Museum

비트라 캠퍼스 안에는 디자인 뮤지엄, 비트라 하우스, 공장, 물류창고 등이 모여 있다. 세계적인 건축가의 건축물과 비트라 예술 작품 탐방을 함께 할 수 있는 곳이다. 뮤지엄숍은 비트라 하우스 1층에 위치해 있는데 팬톤체어와 찰스 레이임스의 plywood elephant 같은 비트라 가구의 미니어처 컬렉션이 진열되어 있다. 그 외에도 디자인 서적과 디자인 제품들이 시선을 끌기 충분하다. 온라인 숍도 운영한다.

•

Charles-Eames-Str. 2 D-79576 Weil am Rhein, Germany
design museum.de

GOING ON

엄마, 나랑
뮤지엄 데이트 할래요?

에디터 이다은, 남재연 일러스트레이터 최인애

'우리나라의 유명한 박물관 세 곳을 말하시오.' 대부분 고민 없이 대답할 수 있는 질문이다. 그렇다면 이 질문은 어떨까? '아이와 함께 가기 좋은 박물관 세 곳을 말하시오.' 금방 떠오르지 않는다면 이 기사에 주목해보자. 황금 같은 주말을 모두 내어주어도 아깝지 않은 박물관과 미술관을 한곳에 모아보았다. 이름하여 전국 방방곡곡 뮤지엄 지도!

A

MUSEUM

DATE

SEOUL

SOMAMUSEUM
JONGIENARA PAPER ART MUSEUM
SEOUL MUSEUM OF HISTORY
WHANKIMUSEUM
HELLOMUSEUM
ART SONJE CENTER
DMUSEUM
SANG WON MUSEUM
ZAHAMUSEUM
SEODAEMUN MUSEUM OF NATURAL HISTORY
SUNGKOKMUSEUM
ARARIO MUSEUM IN SPACE
LEEUM

헬로우뮤지움

이곳에 들어서면 누구나 어린이가 된다. 동시대 아티스트의 작품부터 어린이들의 드로잉까지 만나볼 수 있으며, 이를 통해 어린이는 상상력을 키우고 어른은 동심을 되찾는 예술을 경험한다. 어린이의 눈높이에 맞춰 도슨트가 진행하는 예술체험, 이미지 아카데미 등의 프로그램이 준비되어 있으며, 성인을 위한 예술 수업, 태교 프로그램 등도 제공한다.

서울시 성동구 성수일로12길 20
hellomuseum.com

자하미술관

서울에서 가장 높은 곳에 위치한 미술관이다. 다양한 장르의 콘텐츠로 전시를 이어가며 작가와 관람객의 끊임없는 예술적 소통이 이루어지도록 한다. 전시와 연계된 다양한 프로그램과 개별 체험 및 창의 체험에 대한 프로그램도 함께 제공한다. 뮤지엄 그 자체로도 주변 자연과 어우러져 하나의 작품으로 보이며, 가족과 함께 풍경을 감상하고 나들이하기에도 좋다.

서울시 종로 창의문로5가길 46
zahamuseum.com

아트선재센터

미술을 매개로 보다 나은 삶을 위해 성찰할 수 있도록 돕는 것을 목표로 하는 사립 미술관이다. 특히 실험적인 미술 형태를 지향하며 전시와 프로젝트에 형식적 제한을 최소화한다. 미술뿐 아니라 음악, 건축, 무용 등과 협업을 하기도 하며 어린이부터 성인까지 눈높이에 맞춘 교육 프로그램을 제공해 현대미술을 보다 흥미롭고 쉽게 접할 수 있도록 도모하고 있다.

서울시 종로구 율곡로3길 87
artsonje.org

소마미술관

올림픽공원의 외부와 연결되어 조각공원의 작품들과 자연을 동시에 관람할 수 있는 점이 큰 특징이다. 실내에 마련된 1관에서는 창밖으로 보이는 조각공원의 전경과 전시된 전시물을, 지하 공간인 2관에서는 자연과 예술 작품이 어우러진 색다른 풍경을 경험한다. 다양한 아트와 관련된 성인 정규 프로그램과 어린이 정규 프로그램을 꾸준히 제공하고 있다.

서울시 송파구 위례성대로 51
soma.kspo.or.kr

서대문자연사박물관

우리나라 최초의 공립 종합 자연사박물관이다. 우리가 살고 있는 자연에 대한 기록을 보존·연구하며 인간은 자연환경과 함께 어떻게 살아가야 할지를 알려준다. 자연사에 대해 보다 쉽게 이해할 수 있도록 전시물들을 역사적인 흐름에 맞춰 전시했다. 매년 다양한 기획전과 특별전을 개최하고 박물관교실, 체험교실, 박물관투어 등의 교육 프로그램도 제공한다.

서울시 서대문구 연희로32길 51
namu.sdm.go.kr

환기미술관

한국 추상미술의 제1세대인 수화 김환기 선생의 작품 전시를 비롯해 다양하고 활발한 기획 전시, 행사, 교육 프로그램을 운영하고 있다. 젊은 예술가를 발굴하는 프로젝트인 '환기상' 이벤트, 전시와 연계된 교육 및 다양한 행사 등을 실시하며, 어린이 대상의 '아트띵크', 성인 대상의 큐레이터와 함께하는 '아트토크' 같은 프로그램을 운영 중이다.

서울시 종로구 자하문로40길 63
whankimuseum.org

종이나라박물관

한국의 우수한 종이문화유물과 작품을 발굴, 소장, 전시하는 종이 전문 박물관이다. 한국 종이 문화 발전의 역사부터 현대 미술 영역에 이르기까지 다양한 장르의 종이 작품 5,000여 점을 만날 수 있다. 연령 및 대상에 따라 다양한 종이문화예술을 체험하는 프로그램을 제공하며, 관람객은 종이에 대한 창조적인 생각과 새로운 시각을 경험해볼 수 있다.

서울시 중구 장충단로 166
papermuseum.jongienara.co.kr

전기박물관

전기의 원리와 역사를 통해 우리나라의 과학 에너지 발전에 대해 알아볼 수 있는 박물관이다. 전기의 탄생부터 시작해 에너지 발전의 원리, 그리고 우리나라 초기의 전기 발전 설비와 최초 대중교통인 전차를 전시·소개한다. 매일 사용해서 익숙한 전기 에너지 자원에 대한 소중함을 일깨우고 전기 절약에 관한 개념을 자연스레 습득할 수 있다.

서울시 효령로72길 60
kepco.co.kr/museum

서울역사박물관

조선시대부터 현재에 이르기까지 유서 깊은 서울의 역사와 전통문화를 보여주는 곳이다. 익숙했지만 자세히 알지 못했던 서울에 대한 정보와 문화를 새롭게 느끼고 체험할 수 있다. 어린이들이 체험할 수 있는 '교실 밖 역사탐험', 구연 동화 '말하는 박물관' 등의 교육 프로그램들을 진행하며, 성인을 위한 서울의 역사문화탐방이나 다양한 특별전도 개최한다.

서울시 종로구 새문안로 55
museum.seoul.kr

상원미술관

2003년에 개관한 '상원미술관'은 공예, 디자인 전문 미술관이다. 점차 사라져가는 민속공예의 발전을 위해 체계적인 연구 개발 활동과 다양한 시도를 전개하고 있다. 여러 공예 작가들의 작품들을 꾸준히 전시하고 민속공예와 관련된 다양한 교육 프로그램도 진행한다. 이를 통해 우리의 공예 문화에 대한 자긍심을 높이고 창작 활동을 경험 할 수 있다.

서울시 종로구 평창31길 27
imageroot.co.kr

아라리오뮤지엄 인 스페이스

한국 현대 건축의 1세대를 대표하는 김수근 건축가가 설계한 곳이다. 이 후 김창일 대표가 새로운 주인이 되며 절반은 김수근 선생을 위해, 절반은 누구나 향유할 수 있는 현대미술을 위한 공간으로 사용하겠다고 밝혔다. 어디에서도 볼 수 없었던 독창적인 컨셉의 양옥에 김창일 대표가 콜렉팅한 3,700여점의 예술 작품을 품고 있는, 생경하지만 낯설지 않은 흥미로운 공간이다.

서울시 종로구 율곡로 83
arariomuseum.org

디뮤지엄

다양한 예술 콘텐츠를 좀더 많은 이들에게 소개하고자 만들어진 곳이다. 국내외 아티스트들과 네트워크를 구축하며 대중과 아티스트간의 활발한 소통을 지향한다. 다양한 예술 장르를 넘나들며 활동하는 국내 젊은 아티스트들의 독창적이고 실험적인 창작 활동도 지원한다. 어린아이부터 성인까지, 그리고 엄마와 아이가 함께하는 프로그램도 세심하게 준비되어 있다.

서울시 용산구 독서당로29길 5-6
daelimmuseum.org/dmuseum

성곡미술관

서울 한복판, 유서 깊은 경희궁 길에 위치한 '성곡미술관'은 우리 삶과 일상을 좀더 더 가치 있고 풍요롭게 하기 위해 만들어진 공간이다. 현대미술의 대중화를 목표로 국내외에서 활동하는 예술가들의 작품을 소개하는 기획전과 젊은 작가를 지원하는 프로그램을 진행한다. 단순한 전시뿐 아니라 어린이와 성인을 위한 예술 교육기관으로서의 역할도 함께하고 있다.

서울시 종로구 경희궁길42
sungkokmuseum.org

삼성미술관

한국 고유의 미를 담고 있는 전통미술과 생동하는 현대미술, 시대적 가치를 반영한 국제미술이 함께 공존하는 미술관이다. 수준 높은 소장품 전시 및 기획 전시 등 시대와 장르를 초월한 문화적 공간이다. 전통과 현대, 예술과 테크놀로지, 동양과 서양의 융합뿐 아니라 다양한 예술 장르의 통합을 보여주며, 예술과 관련된 다채로운 프로그램을 통해 관객과 소통한다.

서울시 용산구 이태원로55길 60-16
leeum.org

국립한글박물관

세종대왕의 애민정신을 계승하고 한글의 우수성과 한글 문화를 널리 알리기 위해 2014년 한글날에 문을 열었다. 우리의 자랑스러운 문화유산인 '한글'을 주제로 다양한 자료를 체계적으로 수집, 보존, 연구한다. 또한 한글의 문화와 예술적 가치를 전시를 통해 보여주며 매년 기획특별전과 세종탄신일, 한글날 계기 문화 행사 등을 비롯한 다양한 이벤트도 진행한다.

서울시 용산구 서빙고로 139
hangeul.go.kr

국립중앙박물관

우리나라의 역사와 문화, 나아가 세계 문화에 대한 이해를 높이고 즐기도록 하는 곳이다. 구석기시대의 소박한 손도끼에서부터 삼국시대의 화려한 금관, 고려시대의 청자, 조선시대의 회화, 근대의 사진들까지 한데 모여 있다. 이와 함께 준비된 다채로운 교육 프로그램들은 더욱 재미있게 박물관을 체험하고 문화를 향유하는 기회를 누릴 수 있도록 돕는다.

서울시 용산구 서빙고로 137
museum.go.kr

생각하는박물관

박물관하면 떠오르는 딱딱한 이미지와 문턱을 낮춰 대중에게 친근한 공간이 될 수 있도록 했다. 어린이들에게 과거와 현재의 역사, 문화, 예술을 마음으로 느끼며 창의적으로 생각할 수 있는 힘을 길러주고자 전시를 기획한다. 6세부터 참여 가능한 프로그램들이 있으며 아이들과 함께 미술관에서 예술 작품을 감상하고 북촌한옥에서 전통문화를 체험하며 역사를 느껴볼 수 있다.

서울시 종로구 계동6길 8-3
thinkmuseum.com

아모레퍼시픽미술관

'아모레퍼시픽미술관'은 미술관의 전시를 통해 얻은 지식을 일상화하여, 각자의 삶에서 의미와 재미를 찾아가게 하는 것을 목표로 한다. 다양한 미술 장르를 탐구하는 아카데미 프로그램을 운영하고, 예술 문화의 트렌드와 이슈를 담아내는 곳이다. 미술관 교육이 실현되는 교육 공간과 2층의 대강당을 통해 관람객은 미술에 대한 소통의 깊이와 방식을 다각화할 수 있다.

서울시 용산구 한강대로 100
apma.amorepacific.com

국립경찰박물관

대한민국 경찰의 역사를 한눈에 알아보고 어린이들이 경찰에 대한 꿈을 키워가는 박물관이다. 어렵게만 느껴지던 경찰 업무를 직접 느껴보며 재미있게 체험해 볼 수 있다. 전시관에는 조선시대부터 현재에 이르기까지 경찰 업무에 관련된 기념품, 무기류, 의복류, 사서화류, 장비류, 포상류 등 9,000여 점의 유물을 소장·전시하고 있다.

서울시 종로구 새문안로 41
policemuseum.go.kr

국립현대미술관 덕수궁관

한국 최초의 근대식 석조 건물인 덕수궁 석조전에 1998년 개관했다. 한국과 아시아는 물론 전 세계의 근대미술을 중점적으로 다루고 있다. 근대미술의 조사와 연구, 관련 기획전 및 소장품 전시를 꾸준히 진행하고, 이와 연관된 각종 프로그램과 학술활동, 출판, 근대미술 관련 정보의 국제적 교류 등도 함께 전개한다.

서울시 중구 세종대로 99
mmca.go.kr

GYEONGI

MIMESES ART MUSEUM
GANA ART PARK
DATZ MUSEUM OF ART
MMCA CHILDREN'S MUSEUM
CHANG UCCHIN MUSEUM OF ART
MORAN MUSEUM OF ART
SEOHO MUSEUM OF MODERN ART
HWANG SUN WON MUSEUM OF LITERATURE
DINOSEUM
CHILDREN'S MUSEUM OF NORTHERN GYEONGGIDO
NATURAL ECOLOGY MUSEUM
ZARANDA CHILDREN'S MUSEUM

양주시립장욱진미술관

한국 근현대미술을 대표하는 화가 장욱진의 업적과 정신을 기리는 공간이다. 현대 미술 전시는 물론 그의 작품을 소재 삼아 드로잉, 북아트 만들기 등의 전시 연계 수업도 진행하고 있다. 미술관 입구로 들어가는 길목에는 개울물을 따라 조각공원이 조성되어 있는데, 다양한 작품들과 계절별로 다른 풍경을 함께 만나볼 수 있어 아이들과 나들이하기에도 좋다.

경기도 양주시 장흥면 권율로 193
changucchin.yangju.go.kr

닻미술관

도심에서 조금 떨어져 한적한 자연을 벗삼은 곳에 자리 잡고 있다. '무작위적인 예술적 친절'을 미션으로 일상에 의미를 더하는 예술을 제안하며 그런 전시를 기획한다. 전시 외에도 주변의 자연 환경을 십분 활용한 프로그램을 선보인다. 성인을 대상으로 한 '나무공방'과 '흙공방', 어린이 체험 학습인 '흙빛 숲'은 자연과 창작의 즐거움을 동시에 경험하게 해줄 것이다.

경기도 광주시 초월읍 진새골길 184
datzmuseum.org

서호미술관

한국의 신진 작가 발굴과 지역 작가 후원에 초점을 맞추고 있는 복합문화전시 공간이다. 70평 규모의 전시실과 레스토랑, 각종 문화 행사가 열리는 500여 평의 야외 잔디 공간으로 구성되어 있다. 시기마다 전시장을 채우는 다채로운 작품들과 더불어 레스토랑 '더 서호'의 통 유리창 너머로 보이는 탁 트인 북한강은 꼭 관람해야 할 또 하나의 작품이다.

경기도 남양주시 화도읍 북한강로 1344
seohoart.com

미메시스아트뮤지엄

외관만으로 충분한 감동을 주는 미술관도 있다. '미메시스아트뮤지엄'은 포르투갈 모더니즘 건축의 거장 알바루 시자 Alvaro Siza의 작품이다. 군더더기 없는 곡면과 인조광을 배제한 따뜻한 자연광, 다양한 크기의 전시 공간을 하나의 설계로 담은 것이 특징이다. 감각적인 열린책들의 출판물로 가득한 북카페도 이곳을 찾는 이유 중 하나다.

경기도 파주시 문발로 253
blog.naver.com/mimesis_art

국립현대미술관 어린이미술관

국내 유일의 국립어린이미술관으로, 현대미술과의 소통을 목표로 하는 새로운 개념의 교육문화 공간이다. 미술관은 '살펴보다', '되어 보다', '해 보다', '더 보다', '함께 보다' 총 다섯 개의 테마로 구성되어 아이들이 눈으로 보고 몸으로 즐길 수 있다. 주말, 방학 시즌 등 시기에 따라 어린이와 가족을 대상으로 하는 창의 교육 프로그램이 연중 운영된다.

경기도 과천시 광명로 313
mmca.go.kr/child

가나아트파크

'가나아트파크'는 즐거운 예술 놀이터다. 파블로 피카소의 작품을 볼 수 있는 블루 스페이스, 현대미술 기획 전시가 열리는 레드 스페이스, 에어포켓과 야외 그물놀이터로 신체 활동을 할 수 있는 옐로우 스페이스는 여느 키즈카페보다 유쾌하고 유익한 공간이다. 계절마다 많은 어린이 단체 관람객이 '미술관으로 떠나는 현장체험학습'을 찾고 있다.

경기도 양주시 장흥면 권율로 117
artpark.co.kr

황순원문학관

소설 《소나기》의 배경이 양평군이라는 추정 아래 조성된 '양평 황순원문학촌 소나기마을'. 이곳은 관람객이 소설 속 소년, 소녀가 되어볼 수 있도록 꾸며진 테마파크다. '황순원문학관'에서는 작가의 집필 공간과 유품을 볼 수 있고, 작품을 직접 보고 듣고 즐길 수도 있다. 문학관 관람 후에는 숲과 계곡으로 둘러싸인 소나기마을을 천천히 둘러보는 것도 좋다.

경기도 양평군 서종면 소나기마을길 24
yp21.go.kr/museumhub

어린이미술관자란다

어린이가 주인공이고 어른도 어린이 같은 마음을 갖게 되는 꿈의 미술관을 표방하며, '나는 뭐든지 할 수 있다!'는 자신감을 심어주는 메신저가 되기를 자청한다. 유아, 유치 과정인 '뮤지엄키즈스쿨'과 초등 과정인 '뮤지엄아트스쿨'을 비롯해 어린이와 가족이 예술을 경험할 수 있도록 다양한 문화예술 교육 콘텐츠를 개발, 보급하고 있다.

경기도 파주시 탄현면 새오리로 427번길 38-6
zarandamuse.com

피노지움

'피노지움'은 100년이 넘도록 전 세계인에게 사랑받고 있는 동화 《피노키오의 모험》을 모티브로 설립되었다. 피노키오의 역사와 다양한 예술 작품을 감상할 수 있는 상설전은 이곳에서만 볼 수 있는 특별한 전시다. 전시 관람과 함께 '제페토의 나무인형 만들기', '당나귀가 된 피노키오 만들기' 등의 수업으로 나만의 피노키오를 직접 만들어볼 수도 있다.

경기도 파주시 회동길 152
pinocchiomuseum.co.kr

경기북부 어린이박물관

이 박물관의 시설 안내도를 보면 '없는 게 없다'는 말이 절로 나온다. 공룡존, 피크닉존, 숲생태존과 물놀이존, 건축존 등 각 테마에 어린이의 눈높이에 맞춘 세부 카테고리가 나뉘어 있어 하나의 공간을 체험할 때마다 아이들의 호기심이 부풀어오른다. 함께 공룡 발자국을 따라가고 지혜의 나무를 찾으며 호기심을 충족시켜주자.

경기도 동두천시 평화로2910번길 46
childmus.ddc.go.kr

자연생태박물관

우리나라에 서식하는 민물고기와 살아 있는 곤충류, 파충류, 양서류를 만나고 싶다면? 정답은 부천의 '자연생태박물관'에 놀러 가는 것. 자연박물관에 없어서는 안 될 공룡탐험관도 준비되어 있다. 부천자연생태공원 안에 있기 때문에 식물과 자연에 호기심이 많은 아이들은 공원 내 부천식물원, 부천무릉도원수목원 등 다른 시설도 함께 즐기는 것을 추천한다.

경기도 부천시 길주로 660
ecopark.bucheon.go.kr

모란미술관

경기도 마석에 조각 전문 미술관으로 처음 문을 열었다. 8,600여 평에 이르는 야외 전시장에는 국내외 유명 조각가들의 작품이 놓여 있어 내부 전시와는 또 다른 볼거리를 제공한다. 매년 여름방학 기간 중에는 '모란미술관 학교'에서 인근 지역사회의 청소년을 대상으로 체험 위주의 창의적 프로그램을 진행하기도 한다.

경기도 남양주시 화도읍 경춘로2110번길 8
moranmuseum.org

블루메미술관

감각적이면서도 편안한 예술 공간을 찾는다면 '블루메미술관'을 추천한다. 예술가들의 집합소인 헤이리 예술마을에 개관한 이래 지금까지 공간, 판화, 회화 등 장르를 가리지 않는 다양한 기획전을 펼쳐왔다. 현재는 〈초록엄지 – 일의 즐거움〉(~9. 1.) 전을 열고 있으며, 전시 기간 동안 전문가들의 강연 및 체험 프로그램으로 구성된 워크숍을 함께 진행할 예정이다.

경기도 파주시 탄현면 법흥리 헤이리마을길 59-30
bmoca.or.kr

수원시립아이파크미술관

수원은 한국의 대표적 문화유산인 화성의 도시이자 우리나라의 대표 여성화가인 나혜석의 고향이기도 하다. 역사와 문화를 동시에 쌓아가며 다양한 전시를 기획해오고 있으며, 현재는 현대미술 전시인 '人_공존하는 공간'(~9. 22.)이 진행 중이다. 아동, 청소년 대상의 교육 프로그램이 신설되고 있으니 자주 홈페이지를 방문해 확인하는 것이 좋겠다.

경기도 수원시 팔달구 정조로 833
sima.suwon.go.kr

현대어린이책미술관

책과 그림, 그리고 어린이. 세 가지 조합은 언제나 옳다. 이곳에서는 책 안에서 자유롭게 거닐다가 같은 공간에서 전문가들이 만들어놓은 전시 공간을 자유롭게 탐험할 수 있다. 쾌적한 시설과 알차게 꾸려진 프로그램으로도 잘 알려져 있으니, 작가와 함께하는 워크숍과 전문 에듀케이터들의 장단기 교육 프로그램을 꼭 이용해보자.

경기도 성남시 분당구 판교역로146번길 20,
현대백화점 판교점 Office H, 5F
hmoka.org

한국만화박물관

'만화' 하면 '웹툰'을 떠올리는 요즘 아이들에게 '한국만화박물관' 나들이로 새롭고 신선한 경험을 선물해주자. 사라져가는 우리 만화 자료를 수집, 보존하고 있는 이곳은 상설 전시를 통해 한국을 대표하는 만화가들의 작품을 소개하고 있다. 복합문화 공간인 만화영화상영관과 국내 최대 규모의 만화 전문 도서관에서 보고 싶은 만화를 실컷 즐기는 것도 이용 팁이다.

경기도 부천시 길주로 1
komacon.kr/comicsmuseum

삼성이노베이션뮤지엄

'삼성이노베이션뮤지엄'은 한국 전자산업 중요성, 그리고 역사와 미래를 이야기하는 곳이다. 우리나라 산업을 주도해온 브랜드인 삼성전자의 뮤지엄으로 아이들이 과학세계를 탐험할 수 있도록 건물 곳곳에 과학 소재를 품고 있다. 상설전으로 운영되는 '발명가의 시대', '기업혁신의 시대', '창조의 시대', '삼성 역사관'은 미래산업에 관심 있는 아이들에게 추천한다.

경기도 수원시 영통구 삼성로 129
samsunginnovationmuseum.com

조명박물관

색다른 소재로 아이들의 눈과 생각을 즐겁게 할 박물관이 있다. '조명박물관'은 전통, 근대, 앤티크, 현대 조명관 등 시대별 테마로 나뉜 전시와 아이들이 자유롭게 체험할 수 있는 공간이 두루 갖춰져 있다. 박물관 안의 필룩스 소극장에서는 어린이극과 가족극이 꾸준히 공연되고 있으니 전시 이외의 즐거움도 찾아보기를 바란다.

경기도 양주시 광적면 광적로 235-48
lighting-museum.com

소다미술관

오래된 찜질방이 리모델링을 끝마치면 무엇으로 바뀔까? 바로 미술관이다. 다양한 문화적 콘텐츠를 담는 디자인 건축 미술관 '소다'는 탄생 배경만큼이나 이야깃거리가 가득하다. 특히 '소다 키즈'는 맑은 날 비를 맞는 '스카이 샤워', 대형 캔버스에 그림을 그리는 '액션페인팅' 등 몸으로 하는 놀이 그 이상을 구현해왔다. 올해 5월 재정비를 거쳐 새롭게 찾아올 예정.

경기도 화성시 효행로707번길 30
museumsoda.org

세계민속악기박물관

세계인을 만나는 방법은 여러 가지다. 책을 읽거나, 직접 해외로 나가거나, 외국인 친구를 사귀거나. 그럼 세계의 악기를 만나보는 건 어떨까? 이곳 '세계민속악기박물관'은 음악과 악기를 통해 지구촌의 다양한 예술을 자연스럽게 접하게 한다. 평소 만나보기 힘든 악기를 체험하며 활동할 수 있는 프로그램도 잘 짜여있으니 놓치지 말자.

경기도 파주시 탄현면 헤이리마을길 63-26
e-musictour.com

OTHERS

인천어린이박물관

어린이들이 손으로 직접 만지고 조작할 수 있는 체험식 박물관이다. 지구촌문화탐구, 과학탐구, 교구놀이, 공룡탐험 등 다양하게 준비된 전시장을 비롯해 입체영상관, 미술체험실의 기타 편의시설을 갖추고 있다. 어린이가 스스로 오감을 사용해 생각으로 연결할 수 있는 체험 교육의 장일 뿐만 아니라 온 가족이 여가 시간을 즐길 수 있는 유익한 문화 공간이다.

인천시 미추홀구 매소홀로 618
enjoymuseum.org

옥토끼우주센터

우주, 공룡, 로봇과 과학 체험을 경험하고 배우는 과학문화 콘텐츠 공간이다. 귀여운 캐릭터들과 함께 복잡하고 어려운 우주에 관한 내용을 쉽고 재미있게 배워볼 수 있다. 실내 전시 체험관은 약 500여 점의 전시물과 3D 영상관, 우주 체험 기구들로 이루어져 있으며, 야외테마공원에는 공룡의 숲, 사계절 썰매장 등의 시설을 갖춰 과학과 우주에 대한 이해를 쉽게 돕는다.

인천시 강화군 불은면 강화동로 403
oktokki.com

해든뮤지움

'해든뮤지움'은 세계적으로 유명한 피카소부터 백남준과 같은 한국 유명 작가들의 작품까지 다수 소장하고 있다. 자연과 어우러진 모던한 건축물과 수준 높은 현대미술 컬렉션, 야외 조각 가든을 함께 갖추고 있어 프리미엄 복합문화시설로 사랑받고 있다. 학생들의 창의적 활동을 도와주기 위한 교육 프로그램도 제공하고 있으며, 문화 예술 교육을 적극적으로 지원하고자 한다.

인천시 강화군 길상면 장흥로101번길 44
haedenmuseum.com

뮤지엄산

사계절 내내 시시각각 변화하는 자연의 품에서 문화와 예술과 자연의 공존을 만날 수 있는 전원형 뮤지엄이다. 미니멀 건축물의 대가인 안도 다다오의 설계로 공사를 시작해, 빛과 공간의 예술가 제임스 터렐의 작품을 마지막으로 완성되었다. 뮤지엄은 오솔길을 따라 웰컴센터, 플라워가든, 워터가든, 본관, 명상관, 스톤가든, 제임스터렐관으로 이어져 있다.

강원도 원주시 지정면 오크밸리2길 260
museumsan.org

일현미술관

지역 예술문화를 선도하고 국내외 현대미술을 소개하기 위해 2005년 개관하였다. 실내외 공간을 예술적으로 개발하고 자연환경 속의 작품들을 기획하고 설치하여 다양하고 풍부한 작품 감상의 경험을 제공하고자 한다. 또한 설악산과 낙산해수욕장 등 강원도의 대표적인 관광명소들이 인접해 문화를 향유하고 여유로운 휴식의 시간을 가져볼 수 있다.

강원도 양양군 손양면 선사유적로 359
ilhyunmuseum.or.kr

하슬라아트월드

동해 바다를 정면으로 바라보며 뮤지엄호텔, 야외조각공원, 현대미술관, 피노키오박물관을 갖추고있는 힐링 예술 공간이다. 해안 절벽 위에 조성된 3300평의 조각 공원과 총 3관으로 이루어진 현대미술관에서는 다채로운 조각작품, 대지미술, 설치미술, 키네틱 작품 등을 만나볼 수 있다. 아이들의 창의력을 마음껏 발휘할 수 있는 체험학습실도 상설로 운영하고 있다.

강원도 강릉시 강동면 율곡로 1441
museumhaslla.com

바우지움조각미술관

자연 위에 터를 잡고 있는 조각 전문 미술관이다. 우리나라 근현대 조각계 대표 작가의 대표작들을 감상할 수 있는 '근현대조각관'과 미술관 관장인 김명숙 작가의 작품을 전시한 '김명숙조형관', 기획전시관인 '아트스페이스'를 통해 현대 조각을 대중화하고자 한다. 아이와 함께 입체적인 조각품을 관찰하며 예술에 좀더 가까이 다가가보자.

강원도 고성군 토성면 원암온천3길 37
bauzium.co.kr

국립해양박물관

바다를 보고 공부하고, 바다가 주는 즐거움을 만끽할 수 있는 박물관이다. 1층에는 각종 해양 서적을 볼 수 있는 해양도서관과 어린이자료실 등이 있고, 2층에서는 바다와 관련된 공연 관람과 체험 활동이 가능하다. 3층에서는 다양한 유물을 통해 바다의 역사에 대해 배우고, 4층의 해양과학관과 해양영토관에서는 4D 영상을 통해 실감나는 해양 세계를 경험할 수 있다.

부산시 영도구 해양로301번길 45
knmm.or.kr

부산시립미술관 어린이미술관

어린이들이 능동적으로 미술관을 경험하고 창조적 사고와 시각을 기르게 하는 전시 교육 공간이다. 아이들의 눈높이에 맞춘 전시와 교육, 체험 프로그램 운영이 주를 이루며, 현재는 일상적인 물건들이 상상력을 통해 다른 감성으로 표현되는 과정을 체험해볼 수 있는 〈Thing+Think_한젬마의 관계요리〉(~8. 25.)전이 열리고 있다.

부산시 해운대구 APEC로 58
art.busan.go.kr

장생포고래박물관

옛 고래잡이 전진기지였던 장생포에 고래박물관을 건립하여 사라져가는 포경 유물을 수집, 보존, 전시하고 있다. 고래와 관련된 각종 정보를 제공하여 해양 생태계 및 교육 연구에 많은 도움이 되도록 앞장서고 있다. 고래박물관 2층의 어린이 체험실에서는 아이들이 즐겁게 참여할 수 있는 다채로운 해양 체험 프로그램을 지속적으로 운영하고 있다.

울산시 남구 장생포고래로 244
whalemuseum.go.kr

옛터민속박물관

대전 제4호 박물관으로 등록된 민속전문박물관이다. 생활사 전반의 민속유물을 체계적으로 수집, 보존, 연구, 전시, 교육하는 기관으로, 점차 소멸되어가는 전통문화를 재조명하고 대전 지역 문화 예술 발전에 이바지하기 위해 노력하는 곳이다. 연 1회 특별기획전을 통하여 소장 유물들을 재조명하고, 아이들을 위한 체험교실을 운영해 전통문화 체험을 할 수 있는 기회도 제공한다.

대전시 동구 산내로 321-35
yetermuseum.com

국립중앙과학관

과학의 원리와 기술을 전시, 교육하고 과학기술의 미래를 상상해볼 수 있는 과학문화 공간이다. 미래기술관, 과학기술관, 꿈아티체험관, 인류관, 천체관의 공간 구성과 4차 산업혁명을 테마로 한 전시관을 구축해 첨단과학기술이 적용된 관람 서비스를 제공하고 있다. 매년 개최하는 사이언스데이 행사에서는 과학 콘텐츠를 통해 온 가족이 함께 과학 축제를 체험할 수 있다.

대전시 유성구 대덕대로 481
science.go.kr

천연기념물센터

우리나라 유일의 자연유산 전문 전시관인 '천연기념물센터'는 동식물을 포함한 천연기념물과 명승에 대한 체계적인 조사와 연구, 전시와 교육을 통해 그 가치와 중요성을 알리고자 세워진 국가 연구 기관이다. 공룡 알 등의 화석, 동물 박제 표본, 식물 표본 등의 전시품들은 동물과 자연을 사랑하는 어린이들에게 탐구심을 유발하기에 충분하다.

대전시 서구 유등로 927
nhc.go.kr

우양미술관

'우양미술관'은 국내외 회화와 조각 그리고 설치, 비디오아트, 사진 등 현대미술의 다양한 가능성을 보여주는 작품들을 폭넓게 소장하고 있다. 이를 다채롭게 소개하는 소장품전 외에 매년 한두 차례의 기획전을 열고 있다. 성인을 위한 교양 강좌와 어린이 미술학교 등의 교육 프로그램도 꾸준히 열고 있으며 현대미술이 일상 속에 자리 잡도록 노력하고 있다.

경상북도 경주시 보문로 484-7
wooyangmuseum.org

콩세계과학관

콩은 지금까지 우리의 대표 먹거리였을 뿐만 아니라 이제는 세계인의 건강식품으로 자리 잡았다. '콩세계과학관'은 우리 콩의 뿌리를 계승·발전시키고자 건립되었다. 역사적, 경제적, 문화적인 관점에서 콩의 존재와 가치에 대해 다시 생각해보는 계기가 되는 곳이다. 콩으로 두부나 메주를 만들어보는 프로그램도 체험하며 콩에 대한 다양한 발견을 하는 시간도 갖는다.

경상북도 영주시 부석면 영부로 23
soyworld.yeongju.go.kr

항공우주박물관

㈜한국항공우주산업의 부설 박물관이다. 항공우주관에서는 비행의 원리부터 항공기의 구조 및 모형, 우주인 등에 관한 설명과 전시물을 보고 체험한다. 항공에 대한 내용 뿐 아니라 한국전쟁의 참상 및 국군의 활약상과 UN 참전국의 현황 등에 관련된 사진과 기념품을 통해 잊지못할 역사적인 사건을 다시 생각해 볼 수 있는 기회도 가져볼 수 있다.

경상남도 사천시 사남면 공단1로 78
kaimuseum.co.kr/kor

무주곤충박물관

무궁무진한 곤충의 세계가 펼쳐지는 박물관이다. 곤충을 매개로 한 다양한 전시물로 관람객에게 탐구 및 체험의 기회를 제공한다. 반딧불이를 비롯해 전 세계 희귀 곤충 표본과 고생대와 신생대의 화석이 전시되어 있으며, 유리 온실에는 200여 종의 열대 식물이 전시되어 있다. 또한 3D입체영상실과 누워서 관람하는 돔스크린에서는 신비로운 곤충에 대한 영상을 감상할 수 있다.

전라북도 무주군 설천면 무설로 1324
tour.muju.go.kr/bandiland

고인돌박물관

역사 책에서만 볼 수 있던 고인돌을 실제로 만나보게 된다면 어떨까? 청동기시대의 각종 유물과 고인돌 문화를 살펴볼 수 있는 박물관이다. 기획전시실, 상설전시실, 체험학습실, 야외전시관으로 나뉘어 고인돌들을 직접 만나보고, 불 피우기, 암각화 그려보기, 고인돌 만들기, 고인돌 끌기 체험 등 예전 선사인이 생활하던 방식을 직접 체험해볼 수 있다.

전라북도 고창군 고창읍 고인돌공원길 74
gcdolmen.gochang.go.kr

우종미술관

국내외의 수준 높은 다양한 예술 작품을 소개하는 작은 시골 마을 보성에 위치한 미술관이다. 알찬 전시와 수준 높고 참신한 프로그램들로 이곳을 찾은 아이들부터 성인들은 적잖은 감동을 받는다. 크게 서양화, 한국화, 공예로 분류되며 근현대 회화 작품을 비롯해 고미술품 등 1,500여 점의 작품을 소장하고 있고, 이를 바탕으로 기획 전시 및 초대 전시를 진행한다.

전라남도 보성군 조성면 조성3길 338
ujongart.com

해남공룡박물관

공룡과 만나는 꿈을 실현하게 해주는 곳이다. 세계 최초로 익룡, 공룡, 새 발자국이 동일 지층에서 발견된 의미 있는 지역이기도 하다. 알로사우로스 진품 화석 등 447점, 공룡조형물 35점, 조각류 공룡발자국 화석 263점 등 실내외 전시실을 채우고 있는 어마어마한 양의 전시품은 아이들에게 지루할 틈 없는 신세계를 보여줄 것이다.

전라남도 해남군 황산면 공룡박물관길 234
uhangridinopia.haenam.go.kr

JEJU

JEJU GLASS MUSEUM
BIOTOPIA MUSEUM
WAL JONG ART MUSEUM
NEXON COMPUTER MUSEUM
JEJU MUSEUM OF ART
YUMIN ART NOUVEAU COLLECTION
LEE JUNG SEOP ART MUSEUM
JEJU NATIONAL MUSEUM
GREEK MYTHOLOGY MUSEUM
CHOCOLATE MUSEUM
BONTE MUSEUM
HAENYEO MUSEUM

비오토피아 수풍석박물관

수水·풍風·석石은 한자 그대로 제주도의 물, 바람, 돌을 뜻한다. 세 가지 자연을 테마로 일본의 건축가 이타미 준이 디자인했다. 건축물 안에 있는 것만으로 영감을 받을 수 있도록 설계되었기 때문에 각 공간에 가만히 머무르다 보면 금세 마음의 평화가 찾아온다. 주거 단지인 비오토피아 안에 있으므로 사전 예약을 해야만 관람이 가능하다.

제주도 서귀포시 안덕면 산록남로 762번길 79
biotopiamuseum.co.kr

유민미술관

아르누보 양식의 유리공예 작품들을 전시해 놓은 미술관이다. '영감의 방', '명작의 방', '아르누보 전성기의 방', '아르누보와 아르데코의 램프'로 이루어져있으며, 지하의 전시실로 내려가는 길마저 한 폭의 작품이라고 여겨질 만큼 아름다운 건축도 관람 포인트 중 하나다. 시간을 여유롭게 잡고 인접한 섭지코지와 함께 여행 코스를 짜도 좋겠다.

제주도 서귀포시 성산읍 고성리 21
yuminart.org

국립제주박물관

그 동안 제주를 그저 여행지 중 하나로 여겼다면 '국립제주박물관'에 들러 다시 한번 생각해보는 것은 어떨까. 이곳은 일찍이 선진 문화를 받아들인 제주의 역사와 문화에 관한 다양한 자료와 유물의 수집, 보존, 전시, 연구에 중점을 두고 있는 곳이다. 선사시대부터 지금까지의 제주를 이해할 수 있는 상설전과 새로운 제주를 발견할 수 있는 기획전을 두루 살펴보자.

제주도 제주시 일주동로 17
jeju.museum.go.kr

해녀박물관

'해녀박물관'은 해녀를 제주도민의 정신적 기둥이며, 제주해녀 공동체의 삶은 인류가 지향해야 할 모델이라고 말한다. 세 개의 전시실은 그들의 역사와 일상, 그리고 우리에게는 생소하기만 한 해녀 용품과 용어를 모두 담고 있어 해녀에게 관심이 있는 이들이 꼭 들러볼 만하다. 어린이해녀관에서는 아이들이 해녀의 일을 놀이로 체험해볼 수 있다.

제주도 제주시 구좌읍 해녀박물관길 26
haenyeo.go.kr

이중섭미술관

화가 이중섭의 이야기가 궁금할 때 가장 먼저 찾아야 할 곳이다. 불운했던 시기, 열악한 환경 안에서도 여실히 발휘되었던 그의 재능을 눈으로 직접 담아보는 시간을 가져보자. 소박하게 이어진 이중섭거리와 거주지를 방문해보는 것도 그의 삶을 이해하는 데 도움이 될 것이다. 현재 내부 공사로 6월 3일까지 휴관 예정이다.

제주도 서귀포시 이중섭로 27-3
culture.seogwipo.go.kr/jslee

그리스신화박물관

상상 속 세계를 동경하는 아이들에게 맞춤인 박물관이다. 여섯 개의 전시관과 그리스마을은 저마다 흥미를 유발하는 구석이 다르기 때문에 한 곳도 빼지 말고 둘러보기를 추천한다. 전시 외에도 신들의 의상을 입어볼 수 있는 체험, 가상 아테네 시민권을 발급받을 수 있는 체험 등 이곳에서만 경험할 수 있는 프로그램들이 아이들을 기다린다.

제주도 제주시 한림읍 광산로 942
greekmythology.co.kr

넥슨컴퓨터박물관

컴퓨터와 게임 문화의 역사를 수집하고 보존하기 위해 '넥슨'이 설립한 박물관이다. 세상의 모든 게임을 수집하고 보존하는 라이브러리, 오래된 컴퓨터를 다시 볼 수 있는 오픈수장고는 '넥슨컴퓨터박물관'의 자랑거리다. 대표적인 교육 프로그램으로는 예술을 통해 디지털 원리를 체득하는 '어린이융합워크숍 HAT(Humanities, Art & Design, and creative Technology)'이 있다.

제주도 제주시 1100로 3198-8
nexoncomputermuseum.org

제주유리박물관

드넓은 정원에 무언가 반짝인다. 얼핏 비밀의 정원 같기도 하다. 8,000여 평에 달하는 공간에 조성된 '제주유리박물관'은 유리 예술가들에 의해 설계되고 만들어진 우리나라 유일의 유리 전문 박물관이다. 공예품 전시하는 박물관인 만큼 '한 송이 꽃병만들기', '나만의 접시만들기', '유리 공예 양초만들기' 등 관람객이 직접 체험해볼 수 있는 프로그램이 잘 준비되어 있다.

제주도 서귀포시 중산간서로 1403
glassmuseum.co.kr

초콜릿박물관

인간의 미각을 풍요롭게 만들어준 초콜릿의 역사와 지구상 모든 초콜릿에 대해 알고 싶다면 가볼 만한 곳이다. 최고의 초콜릿은 무엇이고, 그 맛은 어떤지 알 수 있는 곳이기도 하다. 아이와 함께 온실 속에서 자라는 카카오나무를 보고 직접 초콜릿을 만들어보며 달콤한 박물관 데이트를 즐겨보자. 찐득하게 쏟아지는 초콜릿 폭포도 꼭 구경해볼 것!

제주도 서귀포시 대정읍 일주서로3000번길 144
chocolatemuseum.org

본태박물관

일본의 건축가 안도 다다오의 건축 작품 중 하나. '본래의 형태'라는 뜻으로 인류 본연의 아름다움을 탐구하기 위해 제주의 수려한 자연경관을 배경으로 설립되었다. 한국 전통공예품과 현대 미술품, 안도 다다오와 백남준을 위한 특별한 공간, 쿠사마 야요이의 상설전 등으로 구성되어 있으며, 그의 모든 건축물이 그렇듯 공간 자체의 아름다움도 느낄 수 있다.

제주도 서귀포시 안덕면 산록남로 762번길 69
bontemuseum.com

제주도립미술관

제주도 주민들은 쉬는 날 어떤 미술관을 찾을까? 전국 어디에나 있는 시립, 도립 미술관 중 하나인 '제주도립미술관'은 예술의 문턱은 낮게, 프로그램의 질은 더욱 높게 관리해 방문객들이 다채로운 미술 문화를 즐길 수 있도록 한다. 현재는 자연 생태와 업사이클링을 주제로 한 '어린이미술학교'와 미술관 업무와 역할을 알려주는 '청소년 미술관 활동' 등으로 노력을 이어 나가는 중이다.

제주도 제주시 1100로 2894-78
jmoa.jeju.go.kr

왈종미술관

'왈종미술관'은 제주를 사랑하는 화가 이왈종의 이름을 딴 미술관이다. 건물은 조선백자에서 모티브를 가져와 지어졌다. 전시실은 작가의 평면회화, 도예, 목조각 및 미디어아트 등 제주에 대한 애정이 묻어나는 그의 작품들로 화사하게 물들어있다. 유리문을 통해 작가의 작업 공간을 엿보고, 탁 트인 옥상에서 푸른 바다와 한라산 정상의 풍경을 눈에 담는 것도 이곳을 찾는 재미 중 하나다.

제주도 서귀포시 칠십리로 214번길 30
walartmuseum.or.kr

PICTURE BOOK

한 번에 한 놈만 팬다

© 박물관에서

전은주
라디오 방송작가로 활동하다 아이를 낳고 육아에 전념하면서 그림책의 세계를 알게 되었다. 현재 네이버 카페 '제이그림책포럼'에서 다양한 그림책 독자들의 모임터를 운영한다. 《웰컴 투 그림책 육아》, 《영어 그림책의 기적》 등을 펴냈고 독자 기반 그림책 전문 잡지 《라키비움J》를 발행하고 있다.

"난 한 번에 한 놈만 패."라는 대사가 유명한 영화가 있다. 싸움을 기가 막히게 잘하는 주인공의 비결은 아무리 많은 적이 있어도 한 놈만 정해서 집중 공격하는 것이다. 우리 집 아이들은 유난히 미술관이랑 박물관에 잘 따라다니는 걸로 유명했는데, 비결을 물어보는 이웃들에게 나도 늘 같은 대답을 했다. "한 번에 한 놈만 패면 돼." 엄마는 모든 전시물을 보여주고 싶겠지만, 정작 아이는 얼마 안 가 온몸을 뒤틀기 십상이다. 그렇다고 애가 크면 가야지 하기엔, 박물관 다니는 재미를 모르고 자라면, 나중에는 데리고 갈 수도 없을 텐데? 어쩔 수 없다. 좋은 것, 귀한 것 다 보여주고 싶은 엄마 욕심 버리고 딱 하나만 보고 온다는 목표를 세우는 것이다.

일곱 살 꽃님이와 뉴욕 메트로폴리탄 뮤지엄에 갈 때, 우리의 목표는 드가가 만든 발레리나 소녀 조각을 보는 것이었다. "꽃님아. 지금부터 이 카메라로 드가의 발레리나 소녀 조각상을 찾아서 찍는 거야. 미션 성공하면? 박물관 아트숍에서 선물을 사줄게!" 아이는 열심히 조각상을 찾아다녔고, 그러느라 다른 것들도 몇 개 눈에 담았다. 내가 노린 게 이거였다. 미션 하나를 성공하는 재미에 지루하다 지겹다 타령을 조금이라도 덜 하는 것과 그 미션을 해내기 위해서라도 이것저것 살펴보다 뭐라도 하나 눈에 더 담기! 꽃님이는 아트숍에서 미술관하고는 아무 상관없는 비싼 퍼즐을 원했다. 나중에야 알았다. 그 퍼즐은 초현실주의 창시자 앙드레 브르통의 초상화였고, 몇 년 후 파리 퐁피두 미술관에 갔을 때, 아이가 초현실주의 전시를 즐겁게 보게 만든 멋진 열쇠가 되어주었다. 물론 퐁피두에서도 그 초상화만 보았다. 우리는 한 번에 한 놈만 패니까!

글 전은주 에디터 김현지

꼬마 미술관

엮음 알랭 르 쏘, 그레고와르 솔로타레프 | **옮김** 이경혜 | 파랑새어린이

《룰루》 시리즈로 프랑스 어린이들의 사랑을 독차지하고 있는 솔로타레프 작가가 고른 그림과 단어들. 왼쪽 페이지에는 단어가 있고, 오른쪽에는 그 단어가 나오는 세계 명화의 한 부분이 있다. 감자 옆에는 빈센트 반 고흐의 감자 그림이 있고, 올빼미 옆엔 보쉬의 그림 '쾌락의 정원' 속 올빼미가 그려져 있는 식이다. 이런 책이 아니라면 아이가 보쉬의 그림을 언제 보게 될까? 이 책을 사물인지책으로 사는 경우도 많다. 사물도 인지하고, 세계 명화에도 익숙해진다니 얼마나 좋을까. 심지어 단어는 한글 영어 다 있다니! 하지만 그렇게 글자를 가르치고 영어 단어를 가르치는 데 쓰기에는 그림들이 너무나 아름답고 독특한 분위기를 갖고 있기 때문에, 역시 한 번에 한 놈만 패면 좋겠다. 글자 가르치기는 내려놓고, 그림이 원래 어떤 그림의 부분인지 같이 구글 아트 사이트에서 찾아보면 어떨까? 숨은 그림 찾기 놀이가 될 수도 있겠다.

미술관의 초대

글 수전 베르데 | **그림** 피터 레이놀즈 | **옮김** 서애경 | 문학동네

이 그림책에도 명화가 많이 나온다. "그림을 볼 때면 내 마음속에서 무언가 특별한 일이 일어나요. 심장이 두근두근 뛰고, 내 몸이 저절로 움직이기 시작해요."라며 드가의 발레리나 그림 앞에서 발레리나 흉내를 내고, 고흐의 별밤 그림 앞에서 빙글빙글 돌던 아이가 지쳐 잠깐 앉아 생각에 잠겼는데, 눈앞에 로뎅의 '생각하는 사람' 조각이 있는 식이다. 그렇다고 아이가 명화를 기억하도록 이야기를 짜 맞춘 책은 아니어서, 그림을 보는 즐거움과 그림을 그리는 기쁨이 어떤 것인가를 보여준다. 면지 그림들도 놓치지 말자. 앞 면지에는 모나리자 같은 명화들이 가득 차 있는 박물관의 한 벽면 같은 그림 액자들이 있고, 뒤쪽 면지에는 텅 빈 액자들이 걸려 있다. 이 빈 액자를 독자가 채워보라며 한껏 유혹 중인 것이다. 책의 마지막 문장은 이렇다. "밤이 되면 미술관은 문을 닫지만 그래도 괜찮아요. 내 마음속 미술관은 여전히 열려 있으니까요."

박물관에서

글·그림 가브리엘 뱅상 | **옮김** 김미선 | 시공주니어

작은 생쥐 셀레스틴느와 곰 아저씨 에르네스트 이야기 시리즈는 정말 좋다. 소풍을 가기로 한 날 비가 오자 '비가 안 오는 셈 치고' 소풍을 즐기는 이야기는 많이들 아실 터. 이번에는 박물관에 간다. 구경을 하러 가는 게 아니다. 일자리를 잃은 에르네스트 아저씨가 박물관에 경비원으로 취직을 하러 면접을 보러 간 것이다. 결국 면접에서는 떨어지고 온 김에 박물관을 구경하려다가 둘은 그만 서로 잃어버리고 만다. 서로를 찾아 뛰어다니는 동안, 독자는 마음을 졸인다. 방금 아저씨가 지나갔는데! 방금 셀레스틴느가 이 전시관에 있었는데! 같은 곳이란 건 벽에 걸린 명화들을 통해 알 수 있다.

아이들은 이 책을 읽으며 그저 멋지고 귀한 것들이 가득해 잠깐 구경 가는 박물관이 누군가에게는 일자리이며, 누군가에게는 무서운 어른들의 세계이기도 한 '생활 현장'이라는 것을 알게 된다. 더 이상 박물관이 먼 곳에 있는 것이 아니다.

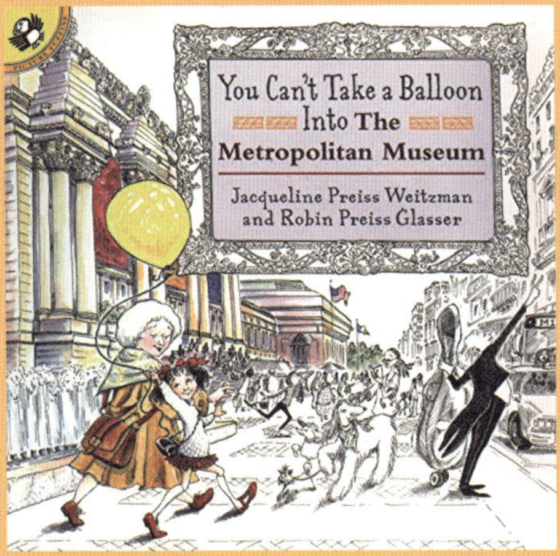

You Can't Take a Balloon Into The Metropolitan Museum

저자 Jacqueline Preiss Weitzman, Robin Preiss-Glasser | Puffin Books

영어 그림책이지만, 글자는 하나도 없는 책이다. 주인공 여자아이가 뉴욕 메트로폴리탄 미술관에 할머니랑 같이 구경을 갔는데, 관리인 아저씨가 풍선은 들고 들어갈 수 없단다. 그래서 계단에 묶어놓고 들어갔는데, 그만 풍선이 날아가 버린다. 관리인 아저씨는 풍선을 잡으러 도시를 뛰어다니고, 아무것도 모르는 여자아이는 할머니랑 즐겁게 미술관 구경을 한다. 아저씨가 뛰어다니는 도시에는 딱 그 순간 아이가 보는 미술관 작품과 비슷한 장면이 펼쳐진다. 아이가 티타임 여인의 그림 앞을 지날 땐 풍선도 티타임 중인 여인의 옆을 날아가고, 분수 그림을 보는 순간엔 분수 옆을 날아간다. 마침내 아이가 미술관 구경을 마치고 나올 때, 아저씨도 무사히 풍선을 잡고 돌아온다. 아이는 과연 지난 시간 동안 아저씨가 얼마나 고생을 했는지 알고 있을까? 어휴. 아이들은 모르겠지. 자기네들 키운다고 어른들이 얼마나 애를 쓰는지!

이 책을 보다 보면 예술 작품이 멀리 있는 게 아니라는 생각이 든다. 우리 일상 속에 있고, 그 일상의 풍경을 예술적으로 포착하면, 그게 바로 예술이라는 깨달음이 생긴다. 이 책은 메트로폴리탄 미술관 외에 시카고 뮤지엄, 런던 내셔널 갤러리 편도 있다. 우리나라도 이런 시리즈가 있으면 좋겠다.

잃어버린 천사를 찾아서

글·그림 막스 뒤코스 | **옮김** 길미향 | 국민서관

주인공 엘루아네 학교에서 미술관 견학을 간다. 아니나 다를까 지루해진 엘루아는 구석에 혼자 앉아 몰래 시간을 때우기로 한다. 그런데 어디선가 들리는 "꼬마야!" 부르는 소리. 그림 속의 아름다운 여인이 엘루아를 부르는 것이 아닌가? 천사를 잃고 슬퍼하는 그림 속 여인, 비너스에게 반드시 천사를 찾아주기로 한 엘루아. 천사를 찾는다고 미술관을 샅샅이 뒤진다. 그러느라 푸생, 피카소, 모리조, 몬드리안, 자코메티 등 거장들의 작품들과 이야기를 나눈다. 이것이 내가 말하는 박물관 보는 비결, '한 번에 한 놈만 패기'다! 천사를 찾느라 다른 작품들까지 보게 되는 것!

사실 박물관에 갔더니 그림이 말을 걸어와서 아이가 그림 속 세상으로 들어간다든지 하는 이야기는 흔하다. 아이들에게 미술 작품을 자연스레 보여주기에 가장 적합한 줄거리니까. 하지만 비슷한 이야기 속에서도 이 책이 특별한 이유는 막스 뒤코스의 책이기 때문이다. 막스 뒤코스는 《비밀의 집 볼뤼빌리스》, 《한밤의 왕국》 등을 통해서 현실 속의 명품과 명화 등을 자연스레 책 속으로 끌어들이는 것으로 유명한 작가다.

박물관에서 길을 잃었어요!

글·그림 로르 몽루부 | **옮김** 박정연 | 재능출판

'박물관'이라는 주제로 그림책을 고르다 보니 자꾸만 프랑스 책들을 꼽게 된다. 프랑스 책에는 박물관의 작품들을 설명하기보다 박물관에서 사건 사고를 치는, 그저 배경이 박물관일 뿐인 이야기가 많다. 아이들이 어릴 때부터 자연스럽게 박물관을 배경으로 하는 책을 읽으며, 박물관이 삶의 공간으로 들어오고 예술 작품들에도 익숙해진다. 우리 아이들도 이런 책을 읽으면 좋겠다. 유명 작품에 관한 정보를 주는 책이 아니라, 박물관과 미술관을 자연스러운 생활의 한 부분으로 느끼게 해주는 책.

쥐스탱과 노에미는 박물관 견학을 갔다가 길을 잃어버린다. 선생님이 길을 잃지 않도록 둘이 손을 꼭 잡고 있으라기에 손을 마주 잡고 있었는데, 어쩌다가 길을 잃어버린 걸까? 더 이상 박물관은 지루한 곳이 아니다. 친구와 손을 꼭 잡고 모험을 떠나는, 그런 신나는 곳이다.

masterpiece

고양이는 백만 번 다시 태어나고

글 이소영 에디터 이다은

나는 고양이를 좋아하지 않았다. 나에게 고양이의 행동은 늘 어려웠다. 영원히 친해지지 못할 수도 있다는 생각도 했었다. 하지만 단 한 권의 그림책이 나와 고양이의 거리를 좁혀주었다.

"백만 년이나 죽지 않은 고양이가 있었습니다. 백만 번이나 죽고 백만 번이나 살았던 것이죠."

– 사노 요코, 《100만 번 산 고양이》

'그래. 한때 너는 1302호의 고양이구나.', '너는 백만 번 죽고 다시 태어나 이번에는 미용실의 고양이가 되었구나.', '드디어 너는 고양이 그 자체. 자유로운 고양이가 되었구나.' 이 책을 읽은 후로 우연히 만난 모든 고양이들을 '백만 번 산 고양이'라고 생각하게 되었다. 그리고 세상 모든 존재는 오로지 그 자체로 살아가야 행복할 수 있다고 생각했다. 그때부터였다. 가끔 화가들이 그린 고양이 그림을 보면, 이 고양이는 이번 생에 어떤 고양이였을까 상상하기 시작한 것이.

테오도르 제리코, 죽은 고양이, 1821, 캔버스에 유채

이소영
미대를 나와 대학원에서 미술교육과 미술사를 전공하고, 오랜 시간 서울시립미술관에서 전시해설을 했다. 현재 '소통하는 그림연구소'를 운영하며 미술 교육 콘텐츠를 연구하고, 다양한 매체를 통해 미술을 전달하고 있다. 저서로는 《그림은 위로다》, 《모지스 할머니, 평범한 삶의 행복을 그리다》, 《출근길 명화 한 점》 등이 있다.

한때 나는 화가들의 고양이였습니다

조금 무섭지만 프랑스의 낭만주의 화가 테오도르 제리코Théodore Géricault는 죽은 고양이를 화폭에 담았다. 낙마 사고로 30대 초반에 세상을 떠난 비운의 화가지만 그는 단 12년 동안의 작품을 통해 프랑스 낭만주의의 선구자로 명성을 쌓았다. 제리코가 표현한 세상은 결코 긍정적이지는 않았다. 오히려 그는 삶의 어두운 측면, 사건의 불온한 측면을 강조하는 그림을 많이 그렸다. 그래서인지 그가 그린 죽은 고양이가 평범하게 다가오지 않는다. 온몸에 힘이 다 빠진 채 삶을 끝낸 이 고양이가 있는 장소가 테이블 위라는 점이 우리를 더 불편하게 만든다. 화가는 죽어가는 고양이마저도 정물로 바라본 것일까? 혹은 자신이 키우던 고양이의 마지막 순간을 기록한 것일까? 두 번째 추측이 마음은 편하지만 진실은 과거에 묻혀 있다. 문득 궁금해진다. 이 고양이는 한때 누구의 고양이였을지. 고양이의 주인은 이 고양이가 죽었을 때 슬퍼했을지.

페르낭 레제, 여인과 고양이, 1921, 캔버스에 유채, 130.5 x 89.5cm

'한때 고양이는 까만 머리의 독서를 좋아하는 여인의 고양이였습니다. 그래서 고양이는 늘 주인과 함께 책을 읽었죠. 자신의 언어와 다른 책을 읽느라 평생을 놀란 눈으로 지내야 했습니다.'

백만 번 산 고양이의 한 해는 이렇게 평범한 여인의 곁에서 존재하기도 했을 것이다. 입체주의 화가 중 한 명인 페르낭 레제Fernand Leger는 피카소와 브라크의 입체주의와는 좀 다른 면모를 보인다. 그의 그림 속엔 원기둥이 많다. 그림 속 여인의 몸을 보면 팔도 다리도 심지어 고양이까지도 원기둥의 형태와 명암을 가지고 있다. 페르낭 레제는 큐비즘의 한 종류인 튜비즘tubism의 창안자다. 1911년경부터 입체주의적 양식을 시도했으나 다른 큐비스트와는 다른 독자적인 길을 걸었다. 대상을 원통 형태로 표현한다고 하여 'tube'라는 단어에서 시작된 미술사조다. 페르낭 레제의 작품을 떠올릴 때 나는 늘 그래서 '튜브'를 떠올린다. 다시 이 작품을 설명해본다. '한때 고양이는 튜비즘의 고양이였습니다.'

그리고 나는 누구나의 고양이입니다

이반 크람스코이, 소녀와 고양이, 1882, 캔버스에 유채

러시아의 화가이자 비평가인 이반 크람스코이Ivan Nikolaevich Kramskoy의 작품이다. 19세기 후반 러시아의 대표적인 미술 그룹인 이동파의 수장인 이반 크람스코이는 일리야 레핀과 야로센코 같은 대단한 제자들을 키워낸 스승으로도 유명하다. 크람스코이가 만든 러시아 이동 전시 협회는 여러 도시를 이동하면서 전시회를 개최해 이동파라고 불렸고, 이 화파는 미술은 특수한 계층만을 위해 존재하는 것이 아니라 모든 사람이 함께 즐겨야 한다는 취지로 만들어졌기에 러시아 대중에게 미술의 저변을 넓히는 중요한 역할을 했다.

한 여인이 심드렁한 표정으로 누워 있다. 그녀의 머리 뒤로 이국적인 소파의 문양이 돋보인다. 여자에게 저 각도로 찍히는 사진은 상당한 자신감이 필요한데, 두 턱이 돋보이는 초상화인데도 그림 속 여인은 아랑곳하지 않는 듯하다. 그녀의 품에 폭삭 안긴 고양이 역시 세상의 시간과는 무관하게 쉬고 있다. 가끔 마음이 바쁜 날에는 이 그림처럼 멍하니 쉬고 있는 작품을 보며 대리만족한다. 역시 그림엔 나 대신 살고 싶은 삶을 살아주는 힘이 존재한다.

BOOK

100만 번 산 고양이

글·그림 사노 요코 | 옮김 김난주 | 비룡소

이 책의 주인공인 고양이는 백만 번이나 죽고 다시 백만 번이나 살았다. 그런데 신기하게도 그 고양이는 한 번도 울지 않았다. 책의 첫 장을 봤을 때는 고양이가 얄미웠다. 물론 이야기 속 주인공이지만 많은 사람이 자신을 위해 울었는데도, 단 한 번도 울지 않았다는 말에 기분이 좋지 않았던 것 같다. 그가 처음으로 운 것은 그 누구의 고양이도 아닌 자신으로 태어나 사랑하는 암고양이를 먼저 떠나 보냈을 때다. 엉엉 운 뒤에야 고양이는 비로소 조용히 숨을 거두고, 두 번 다시 태어나지 않는다. 책을 덮자마자 나는 이 고양이의 팬이 돼버리고 말았다. 한 생명체의 자유로운 삶에 대해 감동을 받은 것이다.

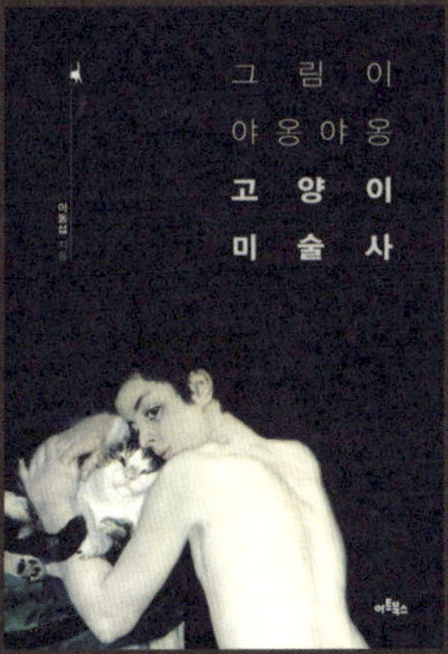

그림이 야옹야옹 고양이 미술사

글 이동섭 | 아트북스

저자는 역사 속 고양이들을 샅샅이 찾아내 미술 작품으로 소개한다. 어두운 배경의 표지 속에서 자신 있게 등을 보이는 소년이 고양이를 안고 있다. 고양이는 우리를 정면으로 바라보며 '난 행복해'라고 이야기하는 듯하다. 표지 속 작품은 피에르 오귀스트 르누아르Pierre-Auguste Renoir의 1868년 작품인 '소년과 고양이'다. 저자는 르누아르의 그림에는 유독 아기, 여자, 고양이가 많이 등장한다고 말하며, 이 세 가지는 사람의 호감과 애정을 자극시키는 '3B(BABY, BEAUTY, BEAST)'로 불린다고 얘기한다. 혹시 내 곁에 아기도, 여자도, 고양이도 없다면 셋 중 하나와 친해지기 위해 움직여야 할 것이다.

MUSIC

©冯提莫专属频道 Feng Timo Channel

펑티모 '고양이송'

고백하자면 나는 이 글을 쓰는 내내 이 노래를 들었다. 심지어 입이 귀에 걸리도록 웃으면서. 바로 1991년생 유튜브 스타 펑티모Feng Timo의 '고양이송'이다. 이미 유명해서 알 수도 있으나 혹시나 모르는 분들을 위해 소개한다. BJ 펑티모는 영상 속에서 고양이 울음소리를 내며 노래를 부른다. 처음에는 귀엽던 이 음악, 중독성이 강하다. 한국에서는 '고양이 소리를 내보자Learn to meow'라는 제목으로 알려져 있다. 유튜브를 좋아하는 아이와 함께 이 음악을 들어보자. 자기도 모르게 어느새 "미야오 미야오 미야오"라고 외치며 따라 부르고 있을 것이다. 다 들었다면 펑티모의 '병아리송'도 추천한다.

FOOD

가족의 식탁

유수경
아이와 가족을 위한 따뜻한 요리를 만들며 식사를 준비하는 시간, '술이네 집 이야기'를 운영한다.

* 계량 기준 | 1T(15ml), 1t(5ml), 1컵(200ml)

글·사진 유수경 에디터 이다은

오늘날 식생활이 변하면서 육류나 지방을 지나치게 섭취해 여러 성인병이 늘고 있다. 하지만 건강을 위해 우리 음식을 찾는 이들도 점점 많아지고 있다. 우리나라는 예부터 그때그때 철에 나는 음식을 이용하여 시식時食을 즐겼다. 이번 호에서 선택한 콩은 건강을 위해, 시식을 즐기기에도 더할 나위 없는 식재료다. 더위에 지치는 여름, 입맛 돋우는 건강한 요리인 콩국수와 비지찌개 그리고 두부선을 준비했다.

콩국수

콩국수는 콩을 반나절 이상 불리고 삶고 갈아서 체에 거른 후 맛볼 수 있는 조금 수고스러운 음식이지만, 입맛 없는 삼복더위에 지친 심신에 활력을 주는 보양식이다. 이렇게 만든 콩물은 사 먹는 것과는 비교할 수 없을 정도로 진하다. 우리가 콩국수를 언제부터 먹기 시작했는지는 정확히 알 수 없으나, 1800년대 말에 편찬된 《시의전서》에 콩국수와 깨국수가 나오는 것으로 보아 꽤 오래된 음식임을 알 수 있다.

재료(3~4인분)

흰콩(백태) 500g, 참깨 4T, 잣 150g, 소금 1.5T, 물 8컵, 오이 ½개, 토마토 ½개, 소면 400g~500g

재료 준비

1 콩은 물에 담가 하룻밤 불려서 건진다.
2 오이는 얇게 썰어 소금 약간을 넣고 버무려 둔다.
3 토마토는 적당한 크기로 자른다.

만들기

1 콩은 콩 양의 2배가 되는 물을 넣고 중불에서 삶는다. 끓기 시작하면 거품을 걷어내고 30분간 푹 삶는다.
2 삶아낸 콩은 냉수에 헹군 다음 비벼서 껍질을 말끔히 벗긴다.
3 콩과 잣, 참깨를 블렌더에 넣고 물 8컵을 조금씩 부으면서 곱게 간다.
4 고운 체에 걸러서 소금으로 간을 맞춘 뒤 냉장고에 2~3시간 넣어 차게 식힌다. 체에 걸러낸 비지는 버리지 말고 비지찌개를 끓이면 된다(국수를 말아 먹기 전에 물과 소금을 섞어 콩물의 농도와 간을 입맛에 맞춘다.)
5 끓는 물에 소면을 넣고 삶는다. 끓어오를 때 물 한 컵을 넣고 다시 바글바글 끓어오를 때 물 한 컵 넣기를 반복한 뒤 건진다. 찬물에 비벼 헹궈 사리를 만든다.
6 면기에 소면 사리를 담고 차가운 콩물을 붓는다. 소금에 절여둔 오이는 찬물에 헹궈 물기를 꾹 짠 뒤 키친타월로 닦아 겹겹이 겹쳐 꽃을 만든다. 토마토와 함께 국수 위에 고명으로 얹는다. 잣도 3~4알 올린다.

비지찌개

비지는 원래 두부를 만들 때 콩물을 짜고 남은 건더기지만
콩물을 만들고 남은 비지로 찌개를 끓이면 또 얼마나 고소하고 맛있는지 모른다.

재료(3~4인분)

콩비지 300g, 다진 돼지고기 150g, 다진 김치 2컵, 무 200g, 양파 ½개, 대파 ⅓대, 청양고추 ½개, 홍고추½개, 육수 6컵, 참기름 약간

돼지고기 밑간 재료: 참기름 ½T, 양조간장 1T, 후추 약간, 맛술 1T, 다진 마늘 ½T, 다진 파 3T

육수 재료: 표고버섯 3개, 파뿌리 1개, 대파 흰 부분 1대, 황태채 한 줌, 다시마 손바닥 크기, 물 8컵

재료 준비

1 육수 재료는 중불에 올려 끓기 시작하면 불을 약하게 줄이고, 20분간 끓인 후에 식힌다.

2 다진 돼지고기와 밑간 재료를 섞은 뒤 10분간 둔다.

3 무는 얇게 채 썬다.

4 양파는 다지고 대파는 송송 썬다. 청양고추와 홍고추는 어슷 썬다.

만들기

1 냄비에 참기름 약간과 양파를 넣고 약불에서 볶다 향이 올라오면 밑간 해둔 돼지고기를 넣은 뒤 중불에 다시 볶는다.

2 다진 김치를 넣고 불을 강불로 올려 30초간 볶다 콩비지와 채 썬 무, 육수를 넣고 끓인다.

3 바글바글 끓기 시작하면 청양고추를 넣고 더 끓인다.

4 충분히 끓인 후 소금으로 간하고 대파와 홍고추를 넣는다.

두부선

두부선은 우리 전통음식이다. 보통 두부를 기름에 부치면 칼로리가 높아지는데,
두부선은 다진 두부를 담백하고 부드럽게 쪄낸 음식이기 때문에 영양가도 높고 아이들 먹기에도 좋다.

재료

단단한 두부 300g, 다진 돼지고기 150g, 표고버섯(소) 3개, 오이 ½개, 황란 2개, 소금, 잣가루

돼지고기, 표고버섯 밑간 재료: 양조간장 1T, 곱게 다진 마늘 1t, 참기름 ½T, 맛술 ½T, 후추 약간, 곱게 다진 파 1T

두부 밑간 재료: 소금 1t, 참기름 1t, 깨소금 1T, 후추 약간

양념장 재료: 맛술 ½T, 양조간장 ½T, 식초 ½t

선택 재료: 겨자 약간

*마늘과 파는 곱게 다져야 식감도 좋고 모양도 예쁘다.

만들기

1 표고버섯은 곱게 다져 다진 돼지고기와 함께 밑간 재료에 섞어둔다.

2 두부는 칼등으로 으깨 면보로 짜낸 뒤 두부 밑간 재료와 섞는다.

3 황란으로 지단을 부쳐 가늘게 썬다.

4 **1, 2**를 섞어 원하는 모양으로 만든 뒤 면보를 깐 찜통에 넣고 그 위에 고명으로 황지단을 올려 10분간 쪄낸다.

5 오이는 돌려 깎은 뒤 얇게 채 썰어 소금 약간에 버무려 5분간 둔다. 찬물에 헹궈 키친타월로 물기를 제거한다.

6 **4**를 찜통에서 꺼내 한 김 식혀 **5**의 오이채를 올린 다음 잣가루와 양념장을 얹어 먹는다.

Exhibition and Movie

GREET!

디즈니 애니메이션 특별전 – The Magic of Animation

손끝에서 자유자재로 나오는 얼음으로 모든 걸 얼려버리던 엘사를 기억하는지? 또 다른 공주 라푼젤과 모아나는? 이 멋진 주인공들이 세상에 나오기까지 어떤 과정을 거쳤는지 궁금하다면 이번 전시를 놓치지 말 것. 원화와 스케치, 콘셉트 아트 등 약 500점의 전시품을 통해 디즈니 작품들이 생명을 얻는 순간을 마주할 수 있을 것이다.

DDP 배움터 지하 2층 디자인전시관
ddp.or.kr
2019. 04. 19.~08. 18.

에릭 요한슨 : Impossible is Possible

에릭 요한슨은 스웨덴 출신의 사진작가이자 리터칭 전문가다. 사진 기법은 일반적인 디지털 기반의 합성과 다를 바 없지만, 풍부한 상상력과 세심한 표현력이 그가 이 분야에서 최고로 꼽히는 이유다. 그의 작품은 풍선을 타고 하늘을 날고 싶다는 어릴 적 꿈을 이루어 주고, 누군가 밤마다 달의 모양을 바꿀지도 모른다는 발칙한 상상에 닿게 해준다.

예술의전당 한가람미술관
sac.or.kr
2019. 06. 05.~09. 15.

해피인사이드

네모난 화면 안에서 내 얼굴 대신 감정을 표현해주는 이모티콘. 〈해피인사이드〉는 그런 이모티콘의 모습과 행복을 접목하여 다섯 가지 테마로 풀어낸 전시다. 일상-혼돈-탈출-기쁨-환희로 이어지는 테마를 따라가다 보면 행복이 무엇인지, 행복을 찾기 위해 어떻게 해야 하는지 돌아보게 될 것이다.

용산 전쟁기념관 기획전시실 3실
warmemo.or.kr
2019. 4. 25.~10. 27.

토이 스토리 4

세월이 지나도 변하지 않는 아름다운 우정을 담은 〈토이 스토리〉가 네 번째 이야기로 우리 곁을 찾아온다. 오랜 친구 '앤디'를 떠나 '보니'와 새로운 추억을 만들어가는 우디와 친구들은 언제나 그랬듯 예기치 않은 모험을 떠나게 된다. 익숙한 얼굴과 신선한 캐릭터들이 두루 등장해 추억과 설렘을 동시에 선물해줄 예정!

2019. 06. 개봉

라이온 킹

얼마 전 오리지널 팀의 뮤지컬 내한 공연으로도 화제가 되었던 〈라이온 킹〉을 이제는 다시 극장에서 만나볼 차례다. 1994년 애니메이션으로 개봉해 지금까지도 많은 팬들에게 사랑받고 있는 이 작품이 실사 영화로 제작된 것이다. 심바의 성장을 중심으로 한 감동적인 스토리와 명곡들이 영화에서 얼마나 더 웅장하게 펼쳐질지 기대해본다.

2019. 07. 개봉

파리의 딜릴리

예술의 전성기 벨 에포크 시대의 파리로 사랑스러운 소녀 딜릴리가 휴가를 온다. 평화로운 도시에서 연이어 어린이들이 납치되자 딜릴리와 배달부 소년 오렐은 아이들을 찾아 나선다. 피카소, 로댕, 모네, 드뷔시 등 당대 최고의 아티스트들에게 힌트를 얻어가며 떠나는 모험 이야기. 〈밤의 이야기〉, 〈키리쿠, 키리쿠〉의 미셸 오슬로 감독의 신작이다.

2019. 05. 개봉

Book

100 인생 그림책

글 하이케 팔러 | 그림 발레리오 비달리 | 옮김 김서정 | 사계절

이 책은 100가지 장면으로 이루어져 있다. 0세부터 100세까지, 나이듦에 대한 작가의 통찰력 있는 시선으로 한 살 한 살 지날 때마다 드는 생각들을 단편적으로 보여준다. 그렇기에 이 책은 작가의 이야기이며, 나의 이야기이며, 그 누구의 이야기도 될 수 있다. 책장을 넘기며 몇 번씩 고개를 끄덕거리게 될 그런 책.

까망이는 멋져

글·그림 정두나 | 재미마주

작가는 동네에서 까만 길고양이를 만난다. 이름은 '까망이'. 늘 조용히 길을 거닐고, 성격은 쿨하다. 조그만 동작에도 왠지 의미가 담긴 것 같다. 까망이와 우정을 쌓아가던 작가는 결국 그 이야기를 그림책으로 만들었다. 텍스트는 서로 주고받는 '톡'과 이모티콘 대화뿐이지만, 까망이를 향한 저자의 애정 어린 시선이 잘 드러나 있다.

나의 동네

글·그림 이미나 | 보림

이미나 작가는 할아버지 댁이 있던 옛 동네를 보고 싶어 《나의 동네》를 그렸다고 말한다. 어느 여름날, 주인공이 옛 단짝 친구에게 쓴 편지를 우체부가 전해준다. 찬찬히 펼쳐지는 옛 동네에는 곳곳에 그리움이 배어 있다. 건강하고 깊이 있는 삽화로 감성을 자극하는 이 책은 아마 읽는 이보다 그린 이에게 더 큰 선물이 되었을 것이다.

교토의 밤 산책자

글 이다혜 | 한겨레출판

훌쩍 떠나고 싶은 계절에는 자연스럽게 여행 에세이에 손이 간다. 《교토의 밤 산책자》는 교토를 숱하게 다녀온 저자가 자신이 사랑하는 공간들을 네 가지 테마로 엮은 책이다. 인파에 치이지 않고 절경을 보고픈 사람들, 체력이 약한 사람들, 장마철에 여행을 떠난 사람들에게 적합한 장소들이 모두 여기에 있다.

밴 라이프

글 포스트 헌팅턴 | 옮김 신소희 | 벤치워머스

SNS에 '#vanlife'를 치면 밴을 가지고 길을 떠난 수많은 여행자들의 사진을 볼 수 있다. 이 해시태그를 만든 포스터 헌팅턴은 자신과 비슷한 꿈과 생각을 품고 사는 사람들을 만나 나눈 이야기와 사진을 책으로 엮었다. 밴 여행을 꿈꾸고 있다면, 좁은 공간을 감각적으로 디자인한 인테리어와 영감을 줄 실용적인 팁을 책에서 확인해보기를 추천한다.

모든 아이는 특별하다

글 박혜란 | 나무를심는사람들

'평범한 아이는 없다. 모든 아이는 특별하다.'는 말은 누구나 할 수 있다고 생각하겠지만, 저자가 낳아 키운 아이(?)들을 보면 빨리 그 이야기를 듣고 싶어질 것이다. 이 책은 뮤지션 이적의 어머니이자 작가인 저자가 창의적인 아이 키우기에 대해 말하는 책이다. 아이의 스펙보다 창의력을 중요하게 여기는 엄마에게 추천한다.

Brand

조니 스튜디오

핸드메이드 패브릭 스튜디오인 조니 스튜디오는 오래도록 손때 묻히며 길들여 쓰는 감성 패브릭 제품을 만들기 위해 시작되었다. 쉽게 쓰고 쉽게 버려지는 인스턴트 제품이 아닌 오래오래 곁에 둘 수 있는 패브릭을 위해 모든 제품은 린넨과 코튼의 자연 원단만을 고집하여 탄탄하게 제작한다. 키친, 다이닝, 베딩 등 다양하고 감각적인 리빙 제품들을 선보인다.

joanniestudio.com

여린바람

살랑살랑 부는 바람을 즐길 날이 얼마 남지 않았다. 브랜드 대표이자 작가인 오시영은 돌, 나뭇잎, 꽃 등에서 영감을 받아 자신만의 색과 모양을 조합한다. 창을 열면 슬쩍 흔들리는 '여린바람'의 모빌은 추상적인 형상이지만 가만히 보고 있으면 자연이라는 한 지점에 가 닿게 된다. 내 방에 걸어두기에도, 사랑하는 이에게 선물하기에도 좋다.

see-yo.com

리미떼두두

리미떼두두는 북유럽 감성 디자인과 따뜻하고 귀여운 일러스트가 만난 프리미엄 유아동 의류 브랜드다. 국내 자체 제작 브랜드로 분명한 콘셉트와 좋은 품질로 이미 많은 엄마들에게 사랑받는 중이다. 아이들의 의상 안에 들어간 그림은 다양한 색감과 잘 어우러져 리미떼두두만의 개성을 살려준다.

limitedoudou.co.kr

포인트오브뷰

일상 속 흔히 쓰이는 문구류에서 영감을 받을 수 있을까? 포인트오브뷰를 통해서라면 가능하다. 포인트오브뷰는 종이와 필기구를 포함한 기능적인 문구부터 오브제까지, 공감각적인 관점과 도구를 체험할 수 있는 문구점이다. 이들은 '문구를 어떤 방식으로 이해하는가'에서부터 시작해 제품을 큐레이션한다. 쓰고, 그리고, 읽고, 기록하는 모든 것들을 이곳에서 만나보자.

pointofview.kr

30日상점

'30日상점'은 말그대로 30일마다 한 번씩 새 상품을 선보이는 상점이다. 제작기간보다 더 특별한 점은 이들의 수익이 유기동물에게 전액 후원된다는 점. 기획자의 따뜻한 마음과 고민 끝에 만들어진 제품은 귀여운 동물 일러스트를 기반으로 텀블러, 에코백, 랩탑 파우치 등이 있다. 가치있는 소비생활로 세상에 단 하나뿐인 상품도 얻고, 동물들도 도와주며 두 가지 행복을 동시에 얻어보자.

coconutstore.co.kr

좋은일만 있으라고, 好好堂

한국의 색이 담긴 제품을 만드는 리빙 브랜드다. '보:褓 포:布 품:品 의:依' 네 가지 테마를 통해 한국의 감성을 대변하는 실용적이고 친환경적 제품을 선보인다. 보자기, 매트, 무릎덮개, 이불과 담요 등의 패브릭과 일상 속에서 언제나 손이 가는 생활복, 전통과 현대의 미가 어우러진 한복까지 다양하다. 전통적이어서 오히려 새로운 감성을 느낄 수 있다.

hohodangstore.co.kr

Publisher
송원준

Editor in Chief
김이경

Senior Editor
김현지

Editor
이다은, 남재연

Project Editor
유수경, 이소영, 전은주

Senior Designer
윤원정

Designer&Illustrator
최인애, 양예슬

Illustrator
김혜정, 이지나

Photographer
여지, 윤동길

Marketing / Advertisement
김갑진, 하나

Management Support
이소정

Copy Editor
기인선

Cover
여지

Publishing
(주) 어라운드
도서등록번호 마포, 마00093
창간 2017년 2월 23일
ISSN 2508-7320

AROUND inc.
서울시 마포구 동교로51길 27
27, donggyoro 51-gil, mapo-gu, Seoul, Korea
www.a-round.kr

HOMEPAGE a-round.kr
INSTAGRAM instagram.com/wee_magazine
광고문의 around@a-round.kr | 070 8650 6378
구독문의 around@a-round.kr | 070 8650 6375

정기구독 안내
위 매거진은 격월간지로 짝수 달 발행됩니다.
정기구독 시 키즈 매거진 위두와 함께 발송됩니다.
정기구독 신청자에게는 할인 혜택과 함께
매달 소정의 선물을 드립니다.

1년 97,200원
1년 6회, 짝수달 발행
a-round.kr

위 매거진에 수록된 모든 글과 그림은 저작권법에 보호받는 저작물이므로
무단 전재와 무단복제를 금합니다. 책의 내용을 이용하려면
반드시 저작권자와 (주)어라운드의 서면동의를 받아야 합니다.